CEDU(쎄듀)는 **A C**omprehensive **E**nglish e**DU**cation(종합적 영어교육)의 약자입니다.

저자

김기훈 現 ㈜ 쎄듀 대표이사
現 메가스터디 영어영역 대표강사
前 서울특별시 교육청 외국어 교육정책자문위원회 위원
저서 천일문 / 천일문 Training Book / 초등코치 천일문
천일문 GRAMMAR / 첫단추 BASIC / 쎄듀 본영어
어휘끝 / 어법끝 / 거침없이 Writing / 쓰작 / 리딩 플랫폼
리딩 릴레이 / Grammar Q / Reading Q / Listening Q 등

쎄듀 영어교육연구센터
쎄듀 영어교육센터는 영어 콘텐츠에 대한 전문지식과 경험을 바탕으로
최고의 교육 콘텐츠를 만들고자 최선의 노력을 다하는 전문가 집단입니다.
인지영 책임연구원

원고에 도움을 주신 분 한정은

마케팅 콘텐츠 마케팅 사업본부
영업 문병구
제작 정승호
인디자인 편집 올댓에디팅
디자인 윤혜영
영문교열 Stephen Daniel White

What's

Grammar ⁺Plus

3

왓츠 Grammar Curriculum 시리즈 구성

〈**왓츠 Grammar**〉시리즈는 학습 단계에 따라 총 6권으로 구성되어 있습니다.
학습자의 인지 수준에 맞게 문법 설명을 세분화하였고, 단계적으로 학습할 수 있도록 설계하였습니다.

Start 1~3권은 초등 영문법을 처음 시작하는 학생들을 위해 개발되었으며,
초등 교과 과정의 필수 기초 문법을 담고 있습니다.
Plus 1~3권은 초등 교과 과정의 필수 기초 문법 및 심화 문법을 담고 있습니다.

Start와 Plus 모두 1권에서 배운 내용이 2권, 3권에도 반복 등장하여 누적 학습이 가능하도록 했습니다.

*하단 표에서 각 권에 새로 등장하는 개념에는 색으로 표시하였습니다.

Start 1-3

☑ 교육부 지정 초등 필수 문법 3~4학년 대상 (영어 교과서 기준)
☑ 초등 영어 문법을 처음 시작할 때

	Start 1		Start 2		Start 3
1	명사	1	명사와 관사	1	대명사
2	대명사	2	대명사와 be동사	2	be동사와 일반동사
3	be동사	3	일반동사	3	현재진행형
4	be동사의 부정문과 의문문	4	의문사 의문문	4	숫자 표현과 비인칭 주어 it
5	지시대명사	5	조동사 can	5	의문사 의문문
6	일반동사	6	현재진행형	6	형용사와 부사
7	일반동사의 부정문과 의문문	7	명령문과 제안문	7	전치사

Plus 1-3

☑ 교육부 지정 초등 필수 문법 5~6학년 대상 (영어 교과서 기준)
☑ 3~4학년 문법 사항 복습 및 초등 필수 영문법 전 과정을 학습하고자 할 때

	Plus1		Plus 2		Plus 3
1	명사와 관사	1	현재진행형	1	품사
2	대명사	2	미래시제	2	시제
3	be동사	3	과거시제	3	조동사
4	일반동사	4	조동사 can, may	4	to부정사와 동명사
5	형용사	5	의문사	5	비교급과 최상급
6	부사	6	여러 가지 문장	6	접속사
7	전치사	7	문장 형식		

？ 초등 시기, 영문법 학습 왜 중요할까요?

초등, 중등, 고등을 거치면서 배워야 할 문법 사항은 계속 늘어납니다.
같은 문법 사항이더라도 중등, 고등으로 갈수록 개념이 확장되며,
점점 복잡한 문장이나 문맥 속에서 파악해야 하는 문제들이 출제됩니다.

초등에서 배운 문법 사항이 중등, 고등에서도 계속 누적되어 나오기 때문에
이 시기에 기초를 탄탄하게 잘 쌓지 못하면 빈틈이 생기기 쉽습니다.

〈왓츠 Grammar〉는 이러한 빈틈이 절대 생기지 않도록,
초등 교과 과정에서 반드시 배워야 하는 문법 사항을
누적·반복 학습이 가능한 나선형 커리큘럼으로 구성하였습니다.
또한, 갑자기 어려워지는 문제나 많은 문법 사항이 한꺼번에 나오지 않도록 **세심하게 난이도를 조정**하였습니다.

〈왓츠 Grammar〉는 처음 영어 문법을 배우는 아이들에게 자신감을 키워 줄 가장 좋은 선택이 될 것입니다.

🔍 지시대명사의 초등 ▸ 중등 ▸ 고등 **차이 살펴보기**

초등
> What's **this**? 이것은 무엇이니? / **This** is my friend. 얘는 내 친구예요.

지시대명사 자체의 의미,
문장에서의 쓰임을
간결하게 다룹니다.

중등
> [내신 기출] 다음 대화의 밑줄 친 부분 중 어법상 틀린 것은?
>
> A: My favorite subject is math.
> B: Really? I ① don't like math. It is difficult for me.
> A: **That** ② are(→ is) not a problem. I can help you.
> B: Thank you. You ③ get good grades in all subjects. Right?
>
> [풀이] That은 '하나'를 가리키므로 뒤에 be동사 is가 와야 합니다.

여러 문법 항목들이
뒤섞인 문맥 안에서
지시대명사가 주어일 때
연결되는 동사까지 함께
파악할 수 있어야 합니다.

고등
> [내신 기출] 잘못된 부분을 찾아 앞뒤 문맥에 맞게 고쳐 쓰시오.
>
> People were always running up and down the stairs, and the television was left on all day. None of **this**(→ these) seemed to bother Kate's parents, they wandered around the house chatting with their kids and greeting their visitors.
>
> [풀이] 여기서 지시대명사는 앞에 나온 내용 전체를 가리키고 있는데, '사람들이 계단을 오르락내리락 하는 것', '텔레비전이 하루 종일 켜져 있는 것' 두 가지를 가리키므로 '여럿'을 가리키는 these로 고쳐야 합니다.

지시대명사가
'사람, 사물'뿐만 아니라
문장 전체를 가리킬 수
있다는 확장된 문법
개념을 알아야 합니다.

Components 구성과 특징

Step 1 문법 개념 파악하기

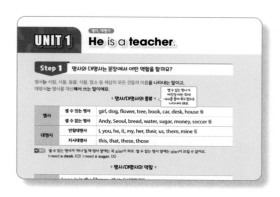

● 한눈에 들어오는 표와 친절하고 자세한 설명을 통해
초등 필수 문법 개념을 쉽게 이해할 수 있어요.

● 문법을 처음 접하는 친구들도 충분히 이해할 수 있도록,
문법 항목을 한 번에 하나씩 공부해요.

Tip! 말풍선과 체크 부분을 놓치지 마세요.
헷갈리기 쉽거나 주의해야 할 내용을 담고 있어요.

Step 2 개념 적용하여 문제 풀기

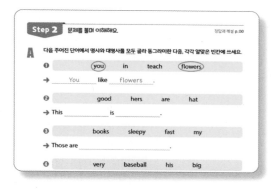

● 다양한 유형의 문제를 풀면서 문법의 기본 개념을
잘 이해했는지 확인해볼 수 있어요.

● 갑자기 어려운 문제가 등장하지 않도록,
세심하게 난이도를 조정했어요.
차근차근 풀어나가기만 하면 돼요.

Tip! 틀린 문제는 꼭 꼼꼼히 확인하세요.
친절하고 자세한 해설이 도와줄 거예요.

Step 3 문장에 적용 및 쓰기로 완성하기

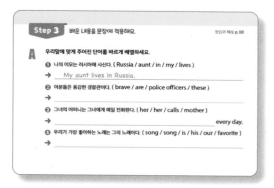

● 배운 문법을 문장에 적용하고 직접 써보세요.
문장 전체를 쓰는 연습을 통해
영어 문장 구조를 자연스럽게 학습할 수 있어요.
문법은 물론 서술형 문제도 이제 어렵지 않아요!

Tip! 어순에 유의하며 써보세요.
주어진 단어를 배열하여 문장을 완성하다보면
영어 문장에 대한 감을 익힐 수 있을 거예요.

Step 4 3단계 누적 연습문제로 완벽하게 복습하기

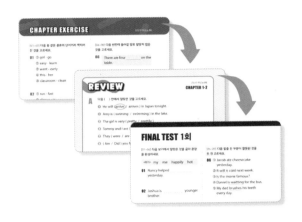

● 챕터별 연습문제 → 두 챕터씩 묶은 누적 REVIEW → FINAL TEST 2회분

3단계에 걸친 문제 풀이로 완벽하게 복습해요.

Tip! FINAL TEST 마지막 페이지에 있는 표를 활용해보세요.

틀린 문제가 어느 챕터에 해당하는지 확인하고,

나의 약점을 보완할 수 있어요.

틀린 문제가 어느 챕터에 해당하는지 확인하고, 복습해보세요.

1	2	3	4	5
Ch1	Ch1	Ch1	Ch1	Ch2
11	12	13	14	15
Ch3	Ch3	Ch3	Ch3	Ch3
21	22	23	24	25

Step 5 워크북 + 단어 쓰기 연습지로 마무리하기

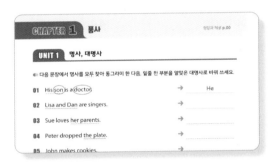

UNIT별 드릴 형식의 추가 문제와 문법을 문장에 적용해보는 Grammar in Sentences로 각 챕터에서 배운 내용을 충분히 복습해 보세요.

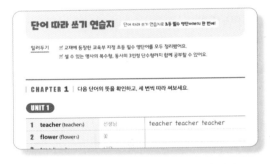

UNIT별 초등 필수 영단어를 한 번 더 확인하고, 따라 쓰는 연습을 해보세요. 단어의 철자와 뜻을 자연스럽게 외울 수 있어요.

자세한 풀이

영어 문장의 우리말 뜻과 친절하고 자세한 해설을 수록하여 혼자서도 쉽고 재미있게 공부할 수 있어요.

무료 부가서비스

무료로 제공되는 부가서비스로 완벽히 복습하세요.

www.cedubook.com

① 단어 리스트   ② 단어 테스트

5

Contents 차례

CHAPTER 6 접속사

Study Plan

★ 8주 완성!

주 5일 학습기준이며, 학습 패턴 및 시간에 따라 **Study Plan**을 조정할 수 있어요.

*CH = CHAPTER, U = UNIT

	1일차	2일차	3일차	4일차	5일차
1주차	CH1 U1 Step 1, Step 2	CH1 U1 Step 3, 워크북	CH1 U2 Step 1, Step 2	CH1 U2 Step 3, 워크북	CH1 U3 Step 1, Step 2
2주차	CH1 U3 Step 3, 워크북	CH1 Exercise	CH2 U1 Step 1, Step 2	CH2 U1 Step 3, 워크북	CH2 U2 Step 1, Step 2
3주차	CH2 U2 Step 3, 워크북	CH2 U3 Step 1, Step 2	CH2 U3 Step 3, 워크북	CH2 Exercise Review CH1-2	CH3 U1 Step 1, Step 2
4주차	CH3 U1 Step 3, 워크북	CH3 U2 Step 1, Step 2	CH3 U2 Step 3, 워크북	CH3 Exercise Review CH2-3	CH4 U1 Step 1, Step 2
5주차	CH4 U1 Step 3, 워크북	CH4 U2 Step 1, Step 2	CH4 U2 Step 3, 워크북	CH4 Exercise Review CH3-4	CH5 U1 Step 1, Step 2
6주차	CH5 U1 Step 3, 워크북	CH5 U2 Step 1, Step 2	CH5 U2 Step 3, 워크북	CH5 Exercise Review CH4-5	CH6 U1 Step 1, Step 2
7주차	CH6 U1 Step 3, 워크북	CH6 U2 Step 1, Step 2	CH6 U2 Step 3, 워크북	CH6 Exercise Review CH5-6	FINAL TEST 1회
8주차	FINAL TEST 2회				

Before You Start 알아두기

품사

품사란 문장을 이루는 가장 작은 단위인 '단어'를 성격에 따라 분류한 것이에요.
영어에는 8개의 품사인 **명사, 대명사, 동사, 형용사, 부사, 전치사, 접속사, 감탄사**가 있어요.
주어 역할을 하는 '(대)명사'와 서술어 역할을 하는 '동사'만으로도 문장을 만들 수 있어요.

명사 사물, 동식물, 사람, 장소 등의 이름을 나타내는 말이에요. 주어, 목적어, 보어 자리에 쓰여요.
girl, desk, car, Tom, Seoul...

대명사 명사를 대신해서 부르는 말이에요. 주어, 목적어, 보어 자리에 쓰여요.
I, you, he, my, her, this...

동사 사람, 사물의 움직임이나 상태를 설명하는 말이에요.
walk, eat, go...

형용사 명사의 모양, 성질 등을 설명하거나 꾸며주는 말이에요. 「형용사+명사」로 쓰여 명사를 꾸며주거나
「동사+형용사」로 쓰여 주어의 상태를 보충 설명하는 보어 역할을 해요.
old, big, small, happy, blue...

부사 동작이나 상태가 어떤지 덧붙여 설명해주는 말이에요. 동사, 형용사, 다른 부사를 꾸며주는
역할을 해요.
very, early, fast, tonight...

전치사 명사나 대명사 앞에서 시간, 장소, 방향 등을 나타내는 말이에요.
at, on, in, to...

접속사 단어와 단어, 문장과 문장 등을 연결해 주는 말이에요.
and, but, or, because, so...

감탄사 기쁨, 슬픔 등 느낌이나 감정을 표현하는 말이에요.
Oh, Wow, Oops...

Jenny is my friend. She is smart and kind. 제니는 내 친구이다. 그녀는 똑똑하고 친절하다.
　주어　동사　　보어　　　주어　동사　　　　보어
명사: Jenny, friend　　**대명사**: my, She　　**동사**: is　　**형용사**: smart, kind　　**접속사**: and

9

품사

학습 목표

UNIT 1 He is a teacher.

Step 1 명사와 대명사는 문장에서 어떤 역할을 할까요?

명사는 사람, 사물, 동물, 식물, 장소 등 세상의 모든 것들의 이름을 나타내는 말이고,
대명사는 명사를 대신해서 쓰는 말이에요.

> 셀 수 있는 명사가 여럿일 때는 뒤에 -(e)s를 붙여 복수형으로 나타내야 해요.

+ 명사/대명사의 종류 +

명사	셀 수 있는 명사	girl, dog, flower, tree, book, car, desk, house 등
	셀 수 없는 명사	Andy, Seoul, bread, water, sugar, money, soccer 등
대명사	인칭대명사	I, you, he, it, my, her, their, us, them, mine 등
	지시대명사	this, that, these, those

☑ 체크 셀 수 있는 명사가 '하나'일 때 명사 앞에는 꼭 a/an이 와요. 셀 수 없는 명사 앞에는 a/an이 쓰일 수 없어요.
I need **a desk**. (O) I need **a sugar**. (X)

+ 명사/대명사의 역할 +

주어	**Lena** is in the library. 레나는 도서관에 있다. **She** is my friend. 그녀는 내 친구이다.
목적어	I watched **a movie**. 나는 영화를 봤다. Jake likes **her**. 제이크는 그녀를 좋아한다.
보어	My aunt is **a farmer**. 나의 이모는 농부이다. This bike is **mine**. 이 자전거는 내 것이다.

> be동사 뒤에서 주어를 설명하는 보어로 쓰여요.

☑ 체크 명사는 형용사가 앞에서 꾸며줄 수 있고, 전치사와도 함께 쓰여요. (☞ UNIT 2, 3)
I want **a <u>new</u> computer**. (나는 새 컴퓨터를 원한다.) It is **in the box**. (그것은 상자 안에 있다.)

+ 명사와 대명사의 관계 +

> 문장에서의 역할에 따라 알맞은 격의 대명사를 써야 해요.

| 대명사 = 앞에
나온 명사를 대신 | **Sean** is my friend. **He** is very kind. (**He = Sean**)
션은 내 친구이다. 그는 매우 친절하다.
I read **a book** yesterday. **It** was boring. (**It = The book**)
나는 어제 책을 읽었다. 그것은 지루했다.
I have **a cellphone**. I like **it**. (**it = the cellphone**)
나는 휴대전화를 가지고 있다. 나는 그것을 좋아한다. |

☑ 체크 소유격 대명사는 항상 명사와 함께 쓰여요. I know **your sister**. (나는 네 여동생을 안다.)

A 다음 주어진 단어에서 명사와 대명사를 <u>모두</u> 골라 동그라미한 다음, 각각 알맞은 빈칸에 쓰세요.

❶ (you)   in   teach   (flowers)

→ ___You___   like   ___flowers___ .

❷ good   hers   are   hat

→ This _____ is _____ .

❸ books   sleepy   fast   my

→ Those are _____ _____ .

❹ very   baseball   his   big

→ _____ favorite sport is _____ .

❺ noodles   meet   David   by

→ _____ eats _____ every day.

❻ him   help   high   I

→ Ted and _____ visit _____ in the afternoon.

❼ delicious   teacher   make   this

→ _____ is my math _____ .

❽ sugar   clean   slowly   they

→ _____ need some _____ .

B 다음 문장에서 명사에는 O, 대명사에는 △하세요.

❶ They are flying a kite. 그들은 연을 날리고 있다.

❷ The pencils are mine. 그 연필들은 내 것이다.

❸ She is from England. 그녀는 영국에서 왔다.

❹ My favorite subject is math. 내가 가장 좋아하는 과목은 수학이다.

❺ Their books are on the table. 그들의 책들은 탁자 위에 있다.

❻ There are many fish in the lake. 호수에 많은 물고기들이 있다.

❼ Jessica misses her grandmother. 제시카는 그녀의 할머니를 그리워한다.

❽ I have a cat. Its name is Simba. 나는 고양이가 있다. 그것의 이름은 심바이다.

❾ Mr. Green is a firefighter. He is brave. 그린 씨는 소방관이다. 그는 용감하다.

C 다음 (   ) 안에서 알맞은 것을 고르세요.

❶ Nate has two dogs. He loves (them / they).

❷ She likes coffee. She drinks (its / it) every day.

❸ Diane is a basketball player. (She / It) is very tall.

❹ My sister's bag is new. (Its / Her) color is green.

❺ Jessica has a little brother. She often helps (his / him).

❻ Jaden and I play soccer every day. (Our / We) love soccer.

❼ Sophie and her husband are artists. (They / Their) live in New York.

❽ This is my grandma's garden. We often play in (hers / her) garden.

❾ This cellphone is my brother's. That cellphone is not (his / him).

Step 3 배운 내용을 문장에 적용해요.

A 우리말에 맞게 주어진 단어를 바르게 배열하세요.

① 나의 이모는 러시아에 사신다. (Russia / aunt / in / my / lives)

→ <u>My aunt lives in Russia.</u>

② 이분들은 용감한 경찰관이다. (brave / are / police officers / these)

→ _____

③ 그녀의 어머니는 그녀에게 매일 전화한다. (her / her / calls / mother)

→ _____ every day.

④ 우리가 가장 좋아하는 노래는 그의 노래이다. (song / song / is / his / our / favorite)

→ _____

B 우리말에 맞게 주어진 단어를 이용하여 문장을 완성하세요.
(필요하면 단어를 추가하거나 형태를 바꾸세요.)

① 나의 언니는 눈을 좋아하지 않는다. (sister, like, snow)

→ <u>My sister doesn't like snow.</u>

② 그들은 중국어를 공부하지 않는다. (study, Chinese)

→ _____

③ Sam(샘)과 Mike(마이크)는 그들의 선생님을 좋아한다. (and, like, teacher)

→ _____

④ 그는 그의 친구들과 함께 학교에 간다. (go, with, to school, friend)

→ _____

⑤ 이것들은 달콤한 오렌지들이다. (be, this, orange, sweet)

→ _____

UNIT 2 She runs fast.

Step 1 동사, 형용사, 부사는 문장에서 어떤 역할을 할까요?

동사는 사람, 사물의 동작이나 상태를 나타내는 말로, 크게 be동사, 일반동사, 조동사로 나눌 수 있어요.
형용사는 명사를 꾸며주거나 좀 더 자세하게 설명해주는 말이에요.
부사는 동사, 형용사 또는 다른 부사 등을 꾸며주며 시간, 장소, 정도, 빈도 등을 나타내요.

+ 동사 +

be동사	주어의 상태를 나타내는 동사	I **am** tall. 나는 키가 크다. He **is** a student. 그는 학생이다.
일반동사	주어의 행동이나 움직임을 나타내는 동사	She **runs** fast. 그녀는 빨리 달린다. I **study** English every day. 나는 매일 영어를 공부한다.
조동사	be동사나 일반동사에 특정한 의미를 더해주는 동사	She **can run** fast. (~할 수 있다) 그녀는 빨리 달릴 수 있다.

+ 형용사 +

명사를 꾸며줌	This is a **big** problem. 이것은 큰 문제이다. Amy likes **that green** dress. 에이미는 저 초록색 드레스를 좋아한다. I don't have **much** time. 나는 시간이 많지 않다.
명사(주어)를 자세하게 설명	The house *is* **beautiful**. 그 집은 아름답다. He *looks* **tired**. 그는 피곤해 보인다.

> be동사나 감각동사 뒤에 오는 형용사를 '보어'라고 하는데, 보어 자리에 부사는 절대 올 수 없어요.

☑ 체크 형용사의 자리: ① 형용사+명사 ② be동사/감각동사+형용사
①의 경우, 형용사 앞에는 a/an, 소유격 대명사, 지시형용사가 오기도 해요.

+ 부사 +

동사를 꾸며줌	She studies **hard**. 그녀는 열심히 공부한다. I **really** like snowy days. 나는 눈 오는 날을 정말 좋아한다. We **often** go there. 우리는 종종 거기에 간다.
형용사를 꾸며줌	The room is **very** quiet. 그 방은 매우 조용하다.
다른 부사를 꾸며줌	He is driving **too** fast. 그는 너무 빨리 운전하고 있다.

> often과 같이 어떤 일이 얼마나 자주 일어나는지 나타내는 부사를 '빈도부사'라고 해요.

▶ 빈도부사의 자리: ① 빈도부사+일반동사 ② be동사+빈도부사 ③ 조동사+빈도부사
*빈도부사: always(항상), usually(보통, 대개), often(자주, 종종), sometimes(가끔), never(절대 ~않다) 등

A 다음 ( ) 안에서 알맞은 것을 고르세요.

❶ Peter is a ((great) / well) pianist.

❷ He is a (kind / kindly) neighbor.

❸ Beth (is / goes) to the gym every day.

❹ You (come may / may come) to my house.

❺ You have a (beautiful smile / smile beautiful).

❻ My sister (play can / can play) tennis very well.

❼ The book was (real / really) interesting.

❽ Victor was very (angry / angrily) with me.

B 다음 보기와 같이 문장에서 밑줄 친 부분이 꾸며주거나 설명하는 말에 동그라미 하세요.

| 보기 | Tom and Jin are <u>very</u> (tall). |

❶ The boy is <u>polite</u>.

❷ She sang <u>very loudly</u>.

❸ This lake is <u>very</u> deep.

❹ Daniel is an <u>honest</u> man.

❺ Her cellphone is <u>new</u>.

❻ The sun shines <u>brightly</u>.

❼ My brother and I like <u>sweet</u> food.

❽ That cake looks <u>delicious</u>.

C 다음 주어진 단어에서 알맞은 것을 골라 문장을 완성하세요.

| easy | so | went | fast |

❶ Julie _____went_____ to Seoul yesterday.

❷ It was an _____ question.

❸ Jin ran _____ _____ in the race.

| quietly | write | are | can | red |

❹ Andy closed the door _____.

❺ I _____ _____ an email in English.

❻ The _____ shoes _____ mine.

| very | long | happily | has |

❼ The children sang _____.

❽ The mountain is _____ beautiful.

❾ My cat _____ a _____ tail.

| young | expensive | this | looks | carefully |

❿ My grandpa _____ _____.

⓫ _____ car is very _____.

⓬ Teddy drives _____.

A   우리말에 맞게 주어진 단어를 바르게 배열하세요.

❶ 그 벽은 매우 높다. (the wall / high / is / very)

➔ The wall is very high.

❷ 너는 내 컴퓨터를 사용해도 된다. (use / you / my computer / may)

➔

❸ 그것은 흥미진진한 경기였다. (an / was / game / it / exciting)

➔

❹ 나의 아빠는 집에 늦게 오신다. (late / home / dad / comes / my)

➔

❺ 이것은 매우 재미있는 영화이다. (a / movie / is / very / this / interesting)

➔

B   우리말에 맞게 주어진 단어를 이용하여 문장을 완성하세요.
(필요하면 단어를 추가하거나 형태를 바꾸세요.)

❶ 그녀는 4개 국어를 할 수 있다. (speak, four, can, languages)

➔ She can speak four languages.

❷ Sally(샐리)는 종종 집에서 피자를 만든다. (often, make, pizza)

➔   at home.

❸ 그녀의 아들은 피아노를 매우 열심히 연습한다. (son, practice, hard, very, the piano)

➔

❹ Paul(폴)은 저 파란색 셔츠를 가지고 있다. (have, blue, that, shirt)

➔

❺ 이 노란 꽃들은 좋은 향기가 난다. (smell, flowers, yellow, these, good)

➔

UNIT 3 전치사
He's **at** the bus stop.

전치사란 명사 또는 대명사 앞에 쓰여 명사, 대명사와의 관계(장소, 위치, 방향, 시간 등)를 나타내는 말이에요.
전치사마다 의미와 쓰임이 다르므로 주의해서 써야 해요.

+ 장소/위치/방향의 전치사 +

> 전치사 뒤에 대명사가 올 때는 목적격으로 써야 해요.

in	~ 안에, ~에	in the classroom, in Korea
on	~ 위에	on the sofa, on the desk
under	~ 아래에	under the table
at	~에	at the bus stop, at home
in front of	~ 앞에	in front of the house
behind	~ 뒤에	behind the tree
next to	~ 바로 옆에	next to the school, next to her
between A and B	A와 B 사이에	between the school and the park
across	~을 가로질러, ~의 건너편에	across the street

+ 시간의 전치사 +

in	~에 (아침, 오후, 저녁, 월, 계절, 연도)	in the morning/the afternoon/the evening in January, in winter, in 2013
on	~에 (요일, 날짜, 특정한 날)	on Saturday, on May 5th, on my birthday
at	~에 (구체적인 시각, 하루의 때)	at 3 o'clock, at 7 p.m., at noon, at night
before	~ 전에	before class, before dinner
after	~ 후에	after school, after lunch
for	~ 동안	for an hour

+ 기타 전치사 +

with	(사람) ~와 함께, (도구) ~로, ~을 가지고	with his friends, with a pen
about	~에 대해, ~에 관한	about the book
to	~로, ~까지, ~에게	to the park, to my friend
for	~를 위해	for me, for his children
by	(교통수단) ~로, ~을 타고	by bus, by train

Step 2 문제를 풀며 이해해요.

A 우리말에 맞게 보기에서 알맞은 말을 골라 문장을 완성하세요.

보기	at	to	for	after	across	behind

① She drank coffee _____at_____ the cafe.   그녀는 카페에서 커피를 마셨다.

② I bought a gift _____ my sister.   나는 언니를 위해 선물을 샀다.

③ He went _____ the airport.   그는 공항에 갔다.

④ Jack is standing _____ his mom.   잭은 그의 엄마 뒤에 서 있다.

⑤ We had lunch _____ the meeting.   우리는 회의 후에 점심을 먹었다.

⑥ An airplane flies _____ the sky.   비행기가 하늘을 가로질러 날아간다.

B 다음 ( ) 안에서 알맞은 것을 고르세요.

① Let's meet (at / (on)) Saturday.

② The class starts (at / for) 9:30.

③ The car key is (in / at) her bag.

④ It rained (with / for) four days.

⑤ Jonathan lives (to / with) his uncle.

⑥ We go to the beach (in / on) summer.

⑦ She always talks (about / in) the singer.

⑧ Mary is hiding (in / under) the table.

⑨ There is a big truck (to / in front of) the building.

⑩ The shop is (between / at) the library and the bank.

C 우리말에 맞게 밑줄 친 부분을 바르게 고쳐 쓰세요.

❶ Nate is lying <u>at the bed</u>. → *on the bed*
네이트는 침대 위에 누워 있다.

❷ My birthday is <u>in July 14th</u>. → _____
내 생일은 7월 14일이다.

❸ He has many books <u>with space</u>. → _____
그는 우주에 관한 많은 책을 가지고 있다.

❹ I was born <u>on 2013</u>. → _____
나는 2013년에 태어났다.

❺ She goes <u>for the library</u> every day. → _____
그녀는 매일 도서관에 간다.

❻ We went to the museum <u>bus by</u>. → _____
우리는 버스를 타고 박물관에 갔다.

❼ Joe is sitting <u>next to I</u>. → _____
조는 내 옆에 앉아 있다.

D 다음 주어진 단어와 알맞은 전치사를 이용하여 문장을 완성하세요.

❶ We stayed _____*at*_____ _____*home*_____ yesterday. (home)
우리는 어제 집에 머물렀다.

❷ The weather is so cold _____ _____. (January)
1월에는 날씨가 무척 춥다.

❸ The kid is drawing a picture _____ _____.
(crayons)
그 아이는 크레용으로 그림을 그리고 있다.

❹ I take a shower _____ _____. (dinner)
나는 저녁 식사 전에 샤워를 한다.

❺ My cat is _____ _____ _____.
(the curtain)
나의 고양이는 커튼 뒤에 있다.

Step 3 배운 내용을 문장에 적용해요.

A 우리말에 맞게 주어진 단어를 바르게 배열하세요.

❶ 보트 한 대가 다리 아래에 있다. (the bridge / a boat / under / is)

→ A boat is under the bridge.

❷ 그녀는 밤에 많이 먹지 않는다. (eat / night / doesn't / much / at / she)

→ _____

❸ 그는 그의 친구들과 함께 농구를 했다.
(he / his / basketball / with / played / friends)

→ _____

❹ 나의 강아지는 Sam(샘)과 나 사이에 있다.
(puppy / between / me / and / Sam / is / my)

→ _____

B 우리말에 맞게 주어진 단어를 이용하여 문장을 완성하세요.
(필요하면 단어를 추가하거나 형태를 바꾸세요.)

❶ 나는 점심 식사 후에 산책을 한다. (take a walk, lunch)

→ I take a walk after lunch.

❷ 우리는 어제 버스 정류장에서 만났다. (met, the bus stop)

→ _____ yesterday.

❸ 그 영화는 개에 대한 것이다. (a dog, the movie, be)

→ _____

❹ 극장은 은행 바로 옆에 있다. (the theater, be, the bank)

→ _____

❺ 나는 보통 아침에 우유를 마신다. (usually, drink, the morning, milk)

→ _____

[01~02] 다음 중 같은 종류의 단어끼리 짝지어진 것을 고르세요.

01
① girl - go
② easy - learn
③ want - early
④ this - her
⑤ classroom - clean

02
① run - fast
② dinner - in
③ honest - new
④ after - swim
⑤ bank - behind

[03~05] 다음 문장에서 주어진 단어가 들어갈 위치로 알맞은 것을 고르세요.

03 (in)
There ① is ② a beautiful ring ③ the ④ box.

04 (very)
They ① are ② famous ③ in ④ China.

05 (may)
You ① have ② ice cream ③ now ④.

[06~08] 다음 빈칸에 들어갈 말로 알맞지 <u>않은</u> 것을 고르세요.

06
There are four _____ on the table.

① dishes ② oranges
③ spoons ④ cups
⑤ likes

07
These sunglasses are _____.

① new ② mine
③ hers ④ slowly
⑤ expensive

08
Susan is a _____ girl.

① smart ② kind
③ little ④ lovely
⑤ very

[09~10] 다음 밑줄 친 단어의 종류가 <u>다른</u> 것을 고르세요.

09 ① Dave is <u>tall</u>.

② That car is <u>new</u>.

③ Those are <u>puppies</u>.

④ The panda looks <u>cute</u>.

⑤ The pizza smells <u>good</u>.

10 ① The story was <u>very</u> sad.

② My cat can jump <u>high</u>.

③ His novel is <u>popular</u>.

④ The girls smiled <u>happily</u>.

⑤ They moved the boxes <u>quickly</u>.

[11~14] 다음 보기의 단어를 이용하여 문장을 완성하세요.

<보기> him   old   borrow   slowly

11 That is an _____ bicycle.

12 My grandmother walks _____.

13 You can _____ my umbrella.

14 Brian has a brother. He plays with _____.

15 다음 빈칸에 들어갈 말이 바르게 짝지어진 것을 고르세요.

· I bought this for _____.

· Some animals sleep _____ winter.

① her - in   ② hers - in

③ her - on   ④ hers - on

⑤ she - at

[16~19] 다음 (   ) 안에서 알맞은 것을 고르세요.

16 I need some (butter / bread / behind).

17 She came home (at / late / before) 9 o'clock.

18 She has a very (cute / happily / big) dog.

19 I (need / can / bought) a cellphone.

[20~23] 다음 보기에서 알맞은 것을 골라 빈칸에 쓰세요.

<보기> between   at   on   for

20 I have a guitar lesson _____ Fridays.

21 Martin works _____ night.

22 We lived in Daegu _____ 10 years.

23 Evan is standing _____ me and my sister.

[24~25] 우리말에 맞게 밑줄 친 부분을 바르게 고쳐 문장을 다시 쓰세요.

24 They live <u>in front of</u> my house.
그들은 나의 집 바로 옆에 산다.

→ _____

_____

25 He opened the box <u>careful</u>.
그는 그 상자를 조심스럽게 열었다.

→ _____

_____

시제

학습 목표

UNIT 1 · She **lives** in Seoul.

Step 1 현재시제는 언제 쓰이는지 알아볼까요?

시제란 동사의 시점을 나타내는 말로 현재시제는 '현재'의 상태나 습관 등을 나타내요.
be동사의 현재형은 '~이다, (어떠)하다, ~에 있다'라는 뜻으로 현재 주어의 상태를 나타내고,
일반동사의 현재형은 현재의 사실이나 상태, 반복되는 습관이나 동작, 일반적인 사실 등을 나타낼 때 쓰여요.

+ be동사의 현재형 +

긍정문	주어 + am/are/is	I **am** a student. 나는 학생이다. The singer **is** very popular. 그 가수는 매우 인기가 많다.
부정문	주어 + am/are/is + not	They **aren't** in the theater. 그들은 극장에 있지 않다.
의문문	Am/Are/Is + 주어 ~?	**Are** you tired now? 너는 지금 피곤하니?

> is not = isn't
> are not = aren't
> *am not은 줄여 쓸 수 없어요. (→ I'm not)

+ 일반동사의 현재형 +

긍정문	주어 + 동사원형	I **live** in Seoul. 나는 서울에 산다. (현재의 사실)
긍정문	**3인칭 단수 주어 +** **동사원형 + -(e)s**	My brother **gets up** at 8 a.m. 내 남동생은 오전 8시에 일어난다. (습관) The sun **rises** in the east. 태양은 동쪽에서 뜬다. (과학적 또는 일반적인 사실)
부정문	주어 + do/does + not + 동사원형	Robin **doesn't** **have** an umbrella now. 로빈은 지금 우산이 없다.
의문문	Do/Does + 주어 + 동사원형 ~?	**Do** your friends **play** soccer? 네 친구들은 축구를 하니?

> do not = don't
> does not = doesn't

✔체크 주어가 3인칭 단수일 때, 동사 뒤에 -s 또는 -es를 붙여야 해요.
☞ 일반동사의 3인칭 단수 현재형 만드는 법 p.100

✔체크 일반동사의 현재형은 now(지금), today(오늘), every day(매일), every Monday(매주 월요일), on Sundays(일요일마다) 등의 표현과 자주 함께 쓰여요.
I **play** soccer **every Saturday**. (나는 매주 토요일 축구를 한다.)

Step 2 문제를 풀며 이해해요.

A 다음 ( ) 안에서 알맞은 것을 고르세요.

❶ Justin (dos / (does)) the dishes.

❷ Do they (go / goes) to school by bus?

❸ I (am / is) in the garden now.

❹ Carol and I don't (like / likes) candy.

❺ He (watch / watches) TV every day.

❻ The train (arrive / arrives) at 7 o'clock.

❼ Adam and his friends (is / are) in the room.

❽ The baby (cries / crys) too loudly.

❾ My sister (washs / washes) her hair every morning.

B 우리말에 맞게 주어진 단어를 이용하여 문장을 완성하세요.

❶ Dan(댄)은 프랑스에서 미술을 공부한다. (study)

→ Dan ___studies___ art in France.

❷ 네 책은 탁자 위에 있지 않다. (be)

→ Your book _____ on the table.

❸ 그들은 도시에 살지 않는다. (live)

→ They _____ _____ in the city.

❹ 나의 아버지는 영어를 가르치신다. (teach)

→ My father _____ English.

❺ 토끼들은 긴 귀를 가지고 있다. (have)

→ Rabbits _____ long ears.

C 우리말에 맞게 보기의 단어를 이용하여 빈칸에 알맞은 형태로 쓰세요.

보기	brush	be	study	close	buy

❶ Jake ____buys____ milk at the market.   제이크는 시장에서 우유를 산다.

❷ The beach _____ very popular.   그 해변은 매우 인기가 많다.

❸ The store _____ at 8 o'clock.   그 가게는 8시 정각에 문을 닫는다.

❹ The boy _____ science.   그 남자아이는 과학을 공부한다.

❺ Ian _____ his hair every day.   이안은 매일 머리를 빗는다.

❻ Ben and I _____ in the kitchen.   벤과 나는 부엌에 있다.

D 다음 밑줄 친 부분을 바르게 고쳐 쓰세요.

❶ My mom <u>cook</u> pasta for dinner.   → ____cooks____
   내 엄마는 저녁으로 파스타를 요리하신다.

❷ Justin <u>pushs</u> the button.   → _____
   저스틴은 버튼을 누른다.

❸ My aunt <u>be</u> a great pianist.   → _____
   내 이모는 훌륭한 피아니스트이시다.

❹ Does Cathy <u>knows</u> your name?   → _____
   캐시는 너의 이름을 아니?

❺ Jerry <u>speak</u> Korean very well.   → _____
   제리는 한국어를 매우 잘한다.

❻ The kite <u>flys</u> high in the sky.   → _____
   연이 하늘에서 높이 난다.

❼ Mr. Brown <u>plays</u> the violin.   → _____
   브라운 씨는 바이올린을 연주한다.

❽ This jacket <u>aren't</u> expensive.   → _____
   이 재킷은 비싸지 않다.

Step 3 배운 내용을 문장에 적용해요.

A 우리말에 맞게 주어진 단어를 바르게 배열하세요.
(필요하면 단어의 형태를 바꾸세요.)

❶ Harry(해리)는 오후 6시에 저녁을 먹는다. (have / Harry / dinner / at 6 p.m.)

→ _Harry has dinner at 6 p.m._

❷ Jacob(제이콥)은 지금 교실에 있다. (in / the classroom / be / Jacob)

→ _____ now.

❸ 나의 엄마는 컴퓨터를 고치신다. (mom / the computer / my / fix)

→ _____

❹ 그 박물관은 월요일마다 문을 닫는다. (the museum / on Mondays / close)

→ _____

B 우리말에 맞게 주어진 단어를 이용하여 문장을 완성하세요.
(필요하면 단어를 추가하거나 형태를 바꾸세요.)

❶ Kate(케이트)는 일기를 쓰지 않는다. (a diary, keep)

→ _Kate doesn't keep a diary._

❷ 그는 그의 손을 씻는다. (hands, wash)

→ _____

❸ 네 안경은 테이블 위에 있다. (glasses, be, on the table)

→ _____

❹ Sean(션)과 나는 주말마다 자전거를 탄다. (ride, and, bicycles, on weekends)

→ _____

❺ 그녀는 네 시에 피아노 수업이 있니? (a piano lesson, at 4, have)

→ _____

CHAPTER 2 시제   **31**

They **studied** English.

과거시제는 언제 쓰이는지 알아볼까요?

be동사의 과거형은 '~이었다, (어떠)했다, ~에 있었다'라는 뜻으로 주어의 과거 상태를 나타내요.
일반동사의 과거형은 대부분 동사원형에 -(e)d를 붙여서 만들며,
과거에 일어난 주어의 행동이나 상태를 나타내요.

+ be동사의 과거형 +

긍정문	주어 + was/were	She **was** angry. 그녀는 화가 났다. Chris and I **were** late for the class. 크리스와 나는 수업에 늦었다.
부정문	주어 + was/were + not	I **wasn't** at the library this afternoon. 나는 오늘 오후에 도서관에 없었다. They **were not** famous singers. 그들은 유명한 가수가 아니었다. *was not = wasn't / were not = weren't*
의문문	Was/Were + 주어 ~?	**Was** he a painter? 그는 화가였니?

+ 일반동사의 과거형 +

일반동사의 과거형은 주어에 상관없이 같은 형태로 써요.

긍정문	주어 + 동사원형 + -(e)d	The class **started** at 9 a.m. 그 수업은 오전 9시에 시작했다. They **studied** English at school. 그들은 학교에서 영어를 공부했다. Ken **planned** a trip. 켄은 여행을 계획했다.
부정문	주어 + did + not + 동사원형	She **didn't call** David. *did not = didn't* 그녀는 데이비드에게 전화하지 않았다.
의문문	Did + 주어 + 동사원형 ~?	**Did** you **have** lunch? 너는 점심 먹었니?

✓ **체크** 다음과 같이 과거를 나타내는 시간 표현이 쓰이면 과거형으로 써요.
yesterday(어제), **last** night(어젯밤에), **last** year(작년에), a week **ago**(일주일 전에), **then**(그때), **in**+연도(~년에) 등
He **does** his homework **yesterday**. (X) He **did** his homework **yesterday**. (O) (그는 어제 숙제를 했다.)

✓ **체크** 일반동사의 과거형은 대부분 동사원형 뒤에 -ed 또는 -d를 붙이지만, 불규칙 동사들도 있으므로 주의하세요.
Sara **took** many photos last week. (사라는 지난주에 많은 사진을 찍었다.)
☞ 일반동사의 과거형 만드는 법 p.100 ☞ 불규칙 동사 변화표 p.101

A 다음 ( ) 안에서 알맞은 것을 고르세요.

❶ She (eated / (ate)) her dessert slowly.

❷ I didn't (like / liked) summer before.

❸ He (is / was) late for school two days ago.

❹ The pasta (tasted / tastd) good.

❺ She (went / goed) fishing last weekend.

❻ (Was / Were) you in Japan a week ago?

❼ The student (droped / dropped) the pencil.

❽ Peter and Ron (meet / met) at the library yesterday.

❾ My family (live / lived) in Chicago last year.

B 우리말에 맞게 다음 주어진 단어를 빈칸에 알맞은 형태로 쓰세요.

❶ David(데이비드)는 점심 식사 후에 산책을 했다. (take)

→ David ____took____ a walk after lunch.

❷ 그녀는 어제 내 카메라를 사용하지 않았다. (use)

→ She _____ _____ my camera yesterday.

❸ Jeremy(제레미)는 침대 밑에서 열쇠를 찾았다. (find)

→ Jeremy _____ the key under the bed.

❹ 그 여자아이는 학교에 있었니? (be)

→ _____ the girl at school?

❺ Robert(로버트)는 새 휴대전화를 원했다. (want)

→ Robert _____ a new cellphone.

C 우리말에 맞게 보기의 단어를 이용하여 빈칸에 알맞은 형태로 쓰세요.

보기	ride	be	watch	work	visit

❶ My uncle _____worked_____ at the hospital last year.

나의 삼촌은 작년에 병원에서 일하셨다.

❷ They _____ police officers in 2012.

그들은 2012년에 경찰관이었다.

❸ She _____ her grandma last night.

그녀는 어젯밤에 그녀의 할머니를 방문했다.

❹ It _____ windy and cold yesterday.

어제는 바람이 불고 추웠다.

❺ We _____ our bikes this morning.

우리는 오늘 아침에 자전거를 탔다.

❻ Scott and Grace _____ the movie yesterday.

스콧과 그레이스는 어제 영화를 봤다.

D 우리말에 맞게 다음 밑줄 친 부분을 바르게 고쳐 쓰세요.

❶ My father <u>goes</u> hiking last weekend.   →   _____went_____

내 아빠는 지난주에 등산을 가셨다.

❷ They <u>arrive</u> in Japan an hour ago.   →   _____

그들은 한 시간 전에 일본에 도착했다.

❸ Mr. Jones <u>putted</u> his hat on the sofa.   →   _____

존스 씨는 그의 모자를 소파 위에 놓았다.

❹ The movie <u>weren't</u> interesting.   →   _____

그 영화는 재미있지 않았다.

❺ Did the players <u>stopped</u> the game?   →   _____

그 선수들은 경기를 멈추었니?

❻ She <u>drived</u> her car carefully last night.   →   _____

그녀는 어젯밤에 조심스럽게 그녀의 차를 운전했다.

❼ Matt <u>readed</u> a novel yesterday.   →   _____

매트는 어제 소설을 읽었다.

Step 3   배운 내용을 문장에 적용해요.

A 우리말에 맞게 주어진 단어를 바르게 배열하세요.
(필요하면 단어의 형태를 바꾸세요.)

① 나는 달걀과 설탕을 섞었다. (mix / I / and / eggs / sugar)

→   I mixed eggs and sugar.

② Clara(클라라)는 8시 정각에 잠자리에 들었다. (8 o'clock / at / Clara / go / to bed)

→ _____

③ Ann(앤)은 어제 머리를 잘랐다. (a haircut / get / Ann / yesterday)

→ _____

④ 그 표들은 비쌌다. (be / the tickets / expensive)

→ _____

B 우리말에 맞게 주어진 단어를 이용하여 문장을 완성하세요.
(필요하면 단어를 추가하거나 형태를 바꾸세요.)

① Ted(테드)는 어젯밤에 설거지를 했다. (wash, the dishes, last night)

→   Ted washed the dishes last night.

② 그녀는 어제 편지를 썼다. (a letter, write, yesterday)

→ _____

③ Paul(폴)은 야구선수였니? (be, a baseball player)

→ _____

④ 우리는 월요일에 우리의 식당을 열지 않았다. (open, restaurant, on Monday)

→ _____

⑤ Olivia(올리비아)는 그녀의 머리를 말렸다. (hair, dry)

→ _____

UNIT 3 It **will rain** tomorrow.

Step 1 현재진행형과 미래시제는 언제 쓰이는지 알아볼까요?

현재진행형은 '(지금) ~하고 있다, ~하는 중이다'라는 뜻으로, 지금 '진행' 중인 주어의 동작이나 상태를 표현할 때 사용해요. 미래시제는 '~할 것이다, ~일 것이다'라는 뜻으로, 앞으로 일어날 일에 대한 예측이나 계획을 나타낼 때 쓰여요. will과 be going to 두 가지 표현으로 나타낼 수 있어요.

✛ 현재진행형 ✛

긍정문	am/are/is + 동사의 -ing형	I'm doing the laundry. 나는 빨래를 하고 있다.
부정문	am/are/is + not + 동사의 -ing형	John isn't playing the violin. 존은 바이올린을 연주하고 있지 않다.
의문문	Am/Are/Is + 주어 + 동사의 -ing형 ~?	Are they riding bikes? 그들은 자전거를 타고 있니?

✔체크 ☞ 동사의 -ing형 만드는 법 p.100

✛ 미래시제 ✛

긍정문	will + 동사원형	The train will arrive at 2. will은 주어에 상관없이 항상 will이에요. 그 기차는 2시에 도착할 것이다.
	am/are/is + going to + 동사원형	He's going to clean the room. 그는 방을 청소할 것이다.
부정문	will + not + 동사원형	I won't be late again. will not = won't 나는 또 늦지 않을 것이다.
	am/are/is + not + + going to + 동사원형	We are not going to learn guitar. 우리는 기타를 배우지 않을 것이다.
의문문	Will + 주어 + 동사원형 ~?	Will he stay at home? 그는 집에 머무를까?
	Am/Are/Is + 주어 + going to + 동사원형 ~?	Is Elly going to visit Korea? 엘리는 한국에 방문할 예정이니?

✔체크 be going to는 주로 '미리 계획되어 있는 미래의 일'을 나타내지만, 대부분의 경우 will과 바꿔 쓸 수 있어요.

✔체크 미래를 나타내는 문장에서 자주 쓰이는 시간 표현
tomorrow(내일), **soon**(곧), **tonight**(오늘 밤), **next** week(다음 주), **next** month(다음 달), **next** year(내년) 등

A 다음 ( ) 안에서 알맞은 것을 고르세요.

❶ Lena won't ((tell) / tells) a lie.

❷ The man (is / are) cleaning the house.

❸ I will (water / waters) the flowers tomorrow.

❹ They are (using / useing) the bathroom now.

❺ Is she going (read / to read) books?

❻ It's (snow / snowing) a lot outside.

❼ We are (cuting / cutting) the cake.

❽ Cathy (be / is) going to go skiing this weekend.

B 우리말에 맞게 주어진 단어를 이용하여 문장을 완성하세요.

❶ Betty(베티)는 지금 바다에서 수영하고 있다. (swim)

→ Betty ___is___ ___swimming___ in the sea now.

❷ 그는 아주 훌륭한 선수가 될 것이다. (be)

→ He _____ _____ a great player.

❸ 개들이 시끄럽게 짖고 있다. (bark)

→ The dogs _____ _____ loudly.

❹ 내일은 비가 오지 않을 것이다. (rain)

→ It _____ _____ tomorrow.

❺ 그들은 집을 지을 것이다. (build)

→ They _____ _____

_____ a house.

C 다음 문장을 괄호 안의 지시대로 바꿔 쓰세요.

❶ Eden will borrow the umbrella.

→ (부정문) Eden _____will not[won't] borrow_____ the umbrella.

❷ He is taking a shower.

→ (의문문) _____

❸ The concert is going to begin at 9 p.m.

→ (의문문) _____ at 9 p.m.?

❹ We are exercising in the gym.

→ (부정문) We _____ in the gym.

D 다음 밑줄 친 부분을 바르게 고쳐 쓰세요.

❶ She'll <u>takes</u> a nap after lunch.

→ _____take_____

그녀는 점심 이후에 낮잠을 잘 것이다.

❷ They're <u>runing</u> in the park.

→ _____

그들은 공원에서 뛰고 있다.

❸ <u>We'are</u> going to buy some bread.

→ _____

우리는 빵을 좀 살 것이다.

❹ Sam is <u>haveing</u> dinner with me.

→ _____

샘은 나와 함께 저녁을 먹고 있다.

❺ Nick <u>wills</u> buy the notebook.

→ _____

닉은 공책을 살 것이다.

❻ Sally is not <u>drink</u> milk.

→ _____

샐리는 우유를 마시고 있지 않다.

❼ Is Eric going to <u>visits</u> his grandpa?

→ _____

에릭은 그의 할아버지를 방문할 예정이니?

❽ <u>Do</u> you going to play tennis?

→ _____

너는 테니스를 칠 거니?

Step 3 배운 내용을 문장에 적용해요.

A 우리말에 맞게 주어진 단어를 바르게 배열하세요.

① 나는 미술관을 방문할 것이다. (I / to visit / going / am / the gallery)

→ I am going to visit the gallery.

② 지금 눈이 내리고 있니? (snowing / it / is / now)

→ _____

③ 우리는 5월에 파리에 갈 것이다. (go / we / to Paris / will / in May)

→ _____

④ 그 아이들은 소파 위에서 뛰고 있다. (are / the kids / on the sofa / jumping)

→ _____

⑤ 그녀는 늦지 않을 것이다. (not / late / to / she's / be / going)

→ _____

B 우리말에 맞게 주어진 단어를 이용하여 문장을 완성하세요.
(필요하면 단어를 추가하거나 형태를 바꾸세요.)

① 그는 다음 주에 산에 갈 것이다. (go, to the mountain, be going to)

→ He is going to go to the mountain _____ next week.

② Jimmy(지미)와 Kate(케이트)는 TV를 볼 것이다. (will, and, TV, watch)

→ _____

③ Tiffany(티파니)는 수영장에서 수영을 하고 있다. (swim)

→ _____ in the pool.

④ 그 아기들은 지금 울고 있다. (the babies, cry, now)

→ _____

⑤ 너희 엄마는 쿠키들을 굽고 계시니? (your mom, cookies, bake)

→ _____

[01~02] 다음 빈칸에 들어갈 말로 알맞은 것을 고르세요.

01

> She _____ tea every morning.

① drink ② drinks
③ dranks ④ drinked
⑤ drinking

02

> These grapes _____ sweet.

① is ② was
③ wasn't ④ are
⑤ isn't

[03~05] 다음 ( ) 안에서 알맞은 것을 고르세요.

03 Sharon (isn't / aren't) going to stay in China.

04 He (will learn / learns) French next week.

05 The girl (eatd / ate) cheesecake 10 minutes ago.

[06~09] 우리말에 맞게 주어진 단어를 이용하여 문장을 완성하세요.

06 He _____ a nice watch. (have)
그는 멋진 손목시계를 가지고 있다.

07 Jisu _____ history every day. (study)
지수는 매일 역사를 공부한다.

08 She _____ her car yesterday. (drive)
그녀는 어제 그녀의 차를 운전했다.

09 Kelly _____
_____ milk. (drink)
켈리는 우유를 마시고 있다.

[10~11] 다음 밑줄 친 부분이 잘못된 것을 두 개 고르세요.

10 ① The kid liked the toy.
② John maked an apple pie.
③ I called you last night.
④ They played tennis tomorrow.
⑤ Alice is holding a cup.

11 ① We're going play the guitar.
② The baby is smiling now.
③ Is Jane waiting for you?
④ She is haveing a salad.
⑤ The men are painting the wall.

[12~13] 다음 빈칸에 들어갈 말로 알맞은 것을 고르세요.

12

They will go fishing _____.

① last night   ② two years ago

③ a week ago   ④ yesterday

⑤ this weekend

13

Ron did his homework _____.

① tomorrow   ② next year

③ soon   ④ now

⑤ this morning

[14~15] 다음 중 밑줄 친 부분이 올바른 것을 고르세요.

14 ① He is at home an hour ago.

② The boy wills eat out tonight.

③ She is going to buys a cellphone.

④ We went to the park yesterday.

⑤ My brother washs the dishes.

15 ① We eated pizza for lunch.

② Jessie love ice cream.

③ My friend are walking her dog.

④ Andy enjoies comic books.

⑤ My father goes to work by car.

[16~19] 다음 밑줄 친 부분을 바르게 고쳐 쓰세요.

16 I borrow Kate's notebook yesterday.

→ _____

17 He will travels to Europe next month.

→ _____

18 They are going to cleaning their rooms.

→ _____

19 Bill and Henry are paintting a picture.

→ _____

20 다음 빈칸에 들어갈 말이 다른 것을 고르세요.

① It _____ dark outside yesterday.

② The room _____ not empty last month.

③ The wind _____ strong last night.

④ Sue _____ very busy now.

⑤ I _____ on the bus an hour ago.

A 다음 ( ) 안에서 알맞은 것을 고르세요.

❶ He will ((arrive) / arrives) in Japan tonight.

❷ Amy is (swiming / swimming) in the lake.

❸ The girl is very (pretty / prettily).

❹ Tommy and I are (good / well) friends.

❺ They (were / are) at the airport an hour ago.

❻ (Are / Did) you from England?

B 우리말에 맞게 보기의 단어를 이용하여 문장을 완성하세요.
(필요하면 단어를 추가하거나 단어의 형태를 바꾸세요.)

| 보기 | is | are | will | going | be | go | take |

❶ Eric _____takes_____ a walk every morning.
에릭은 매일 아침 산책을 한다.

❷ The boy _____ _____ a shower now.
그 남자아이는 지금 샤워를 하고 있지 않다.

❸ It _____ _____ very hot next week.
다음 주에는 매우 더울 것이다.

❹ He _____ _____ _____ _____ a pilot.
그는 비행기 조종사가 될 것이다.

❺ They _____ _____ _____

camping next week.
그들은 다음 주에 캠핑을 갈 것이다.

❻ Sally and I _____ to the cafe last night.
샐리와 나는 어젯밤에 카페에 갔다.

CHAPTER 3

조동사

UNIT 1 **조동사 can, may**

동사 앞에 조동사 can 또는 may를 넣어 의미를 더하는 문장을
만들 수 있어요.

You can go outside.

UNIT 2 **조동사 must, should**

동사 앞에 조동사 must 또는 should를 넣어 의미를 더하는
문장을 만들 수 있어요.

You must be quiet.

학습 목표

UNIT 1

You **can go** outside.

Step 1   조동사 can과 may는 동사에 어떤 의미를 더해줄까요?

조동사 can은 동사에 '~할 수 있다(능력, 가능), ~해도 된다(허락)'라는 의미를,
조동사 may는 '~해도 된다(허락), ~일지도 모른다(약한 추측)'라는 의미를 더해줘요.

+ can, may의 긍정문 +

can + 동사원형	~할 수 있다	He **can play** the piano. 그는 피아노를 연주할 수 있다.
	~해도 된다	You **can go** outside. 너는 밖에 나가도 된다.
may + 동사원형	~해도 된다	You **may stay** here. 너는 여기 머물러도 된다.
	~일지도 모른다	That **may be** true. 그것은 사실일지도 몰라.

> can이 허락의 의미로 쓰일 때는 조동사 may와 바꿔 쓸 수 있어요.

✔체크   조동사는 주어에 따라 형태가 바뀌지 않고, 뒤에 항상 동사원형이 와요.
He **cans run** fast. (X) He **can run** fast. (O) (그는 빨리 달릴 수 있다.)

+ can, may의 부정문 +

cannot(= can't) + 동사원형	~할 수 없다	Susie **can't play** soccer. 수지는 축구를 할 수 없다.
	~하면 안 된다	You **cannot swim** here. 여기에서 수영하면 안 됩니다.
may not + 동사원형	~하면 안 된다	I **may not go** home now. 나는 지금 집에 가면 안 된다.
	~이 아닐지도 모른다	That **may not be** true. 그것은 사실이 아닐지도 몰라.

> may not은 줄여 쓰지 않아요.

+ can, may의 의문문 +

> 주어와 조동사의 순서만 바뀌어요.

Can + 주어 + 동사원형 ~? - Yes, 주어 + can./ No, 주어 + can't.	~할 수 있니?	Can you **drive** the car? 너는 차를 운전할 수 있니?
	~해도 되나요?	Can I **go** to the bathroom? 화장실에 가도 될까요?
	~해 줄래요?	Can you **open** the door? 문 좀 열어 줄래요?
May + 주어 + 동사원형 ~?	~해도 되나요?	**Q** May I **sit** here? 여기 앉아도 될까요? **A** Yes, you may. 네, 돼요. No, you may not. 아니요, 안 돼요.

A 다음 ( ) 안에서 알맞은 것을 고르세요.

① He can ((play) / plays) the violin.
그는 바이올린을 켤 수 있다.

② I (can / may) solve this math question.
나는 이 수학 문제를 풀 수 있다.

③ You (cannot / may) bring your dog in here.
이곳에 당신의 개를 데리고 와도 됩니다.

④ His wallet (may not / may) be in the drawer.
그의 지갑은 서랍 안에 있을지도 모른다.

⑤ (Can she understand / Can understand she) Spanish?
그녀는 스페인어를 이해할 수 있니?

⑥ I (can jump not / cannot jump) high.
나는 높이 점프할 수 없다.

B 우리말에 맞게 주어진 단어와 can 또는 may를 이용하여 문장을 완성하세요.

① 너는 오늘 밤에 밖에 나가면 안 된다. (go)

→ You ___may not[cannot] go___ out tonight.

② 그녀는 사과파이를 만들 수 있다. (make)

→ She _____ an apple pie.

③ 밖에서 기다려 줄래? (wait)

→ _____ you _____ outside?

④ Jack(잭)은 오늘 우리와 저녁을 함께할지도 모른다. (join)

→ Jack _____ us for dinner today.

C 다음 밑줄 친 부분의 알맞은 뜻을 고르세요.

➊ She can sing very well. Her songs sounds beautiful.

☑ 노래를 할 수 있다 　　☐ 노래를 할지도 모른다

➋ I cannot move this table. Can you help me?

☐ 옮겨도 된다 　　☐ 옮길 수 없다

➌ They didn't eat lunch. They may be hungry now.

☐ 배고플지도 모른다 　　☐ 배고파도 된다

➍ It's cold. Can you turn off the air conditioner?

☐ 꺼도 되나요? 　　☐ 꺼 줄래요?

➎ You don't have an umbrella. You may borrow mine.

☐ 빌려도 된다 　　☐ 빌려서는 안 된다

➏ The stories may not be true.

☐ 사실일지도 모른다 　　☐ 사실이 아닐지도 모른다

D 다음 밑줄 친 부분의 알맞은 의미를 보기에서 골라 그 숫자를 쓰세요.

보기	① ~할 수 있다 (능력, 가능)	② ~해도 된다 (허락)
	③ ~일지도 모른다 (추측)	④ ~해 줄래요? (요청)

➊ Can I use this pen? 　　(②)

➋ My dog can swim very well. 　　( )

➌ You may borrow my umbrella. 　　( )

➍ Can you speak slowly? 　　( )

➎ It may rain in the afternoon. 　　( )

A 우리말에 맞게 주어진 단어를 바르게 배열하세요.

① 제가 당신의 집에 방문해도 될까요? (visit / can / your house / I)

→ Can I visit your house?

② 너는 큰 소리로 이야기하면 안 된다. (not / talk / you / may)

→ _____ loudly.

③ 네 고양이는 소파 아래에 있을지도 몰라. (the sofa / cat / be / under / you / may)

→ _____

④ Jamie(제이미)는 몇몇 한국 음식을 요리할 수 있다.
(Korean food / cook / Jamie / can / some)

→ _____

B 우리말에 맞게 주어진 단어를 이용하여 문장을 완성하세요.
(필요하면 단어를 추가하세요.)

① 그들은 그 경기에서 이길지도 모른다. (the game, win)

→ They may win the game.

② 너는 내 차를 빌려도 돼. (car, borrow)

→ _____

③ Judy(주디)는 그 선물을 좋아하지 않을지도 몰라. (the gift, like)

→ _____

④ 네가 설거지 좀 해 줄래? (the dishes, wash)

→ _____

⑤ 그 아기 새들은 날 수 없다. (fly, the baby birds)

→ _____

UNIT 2

You **must be** quiet.

Step 1 조동사 must와 should는 동사에 어떤 의미를 더해줄까요?

조동사 must와 should 모두 '~해야 한다'로 해석되지만, must는 의무를, should는 충고나 조언의 의미를 나타내요.

+ must, should의 긍정문 +

must + 동사원형	~해야 한다	You **must be** quiet in the library. 너는 도서관에서 조용히 해야 한다.
should + 동사원형	~해야 한다 ~하는 것이 좋겠다	She **should take** a rest. 그녀는 휴식을 취해야 한다.

✔체크 should는 must보다 약한 의미로, 강한 의무를 나타낼 때는 주로 must를 쓰고,
약한 의무나 조언을 나타낼 때는 주로 should를 써요.

+ must, should의 부정문 +

must + not + 동사원형	~해서는 안 된다	You **must not touch** this. 너는 이것을 만지면 안 된다.
should + not + 동사원형	~해서는 안 된다 ~하지 않는 것이 좋겠다	You **should not**(= **shouldn't**) **sing** loudly at night. 너는 밤에 큰 소리로 노래하면 안 된다.

+ should의 의문문 +

Should + 주어 + 동사원형 ~?	~해야 하나요? ~하는 게 좋을까요?	**Q Should** I **see** a doctor? 저는 병원에 가는 게 좋을까요? **A Yes**, you **should**. 네, 그래요. **No**, you **should not**[**shouldn't**]. 아니요, 그렇지 않아요.

✔체크 should의 의문문은 문장 맨 앞에 의문사가 있는 「의문사+should+주어+동사원형 ~?」의 형태로 더 자주 쓰여요.
What should we bring**?** (우리는 무엇을 가지고 와야 하나요?)
What should I wear**?** (제가 무엇을 입는 게 좋을까요?)
Where should I put these boxes**?** (제가 이 상자들을 어디에 두는 게 좋을까요?)

A　우리말에 맞게 다음 (　　) 안에서 알맞은 것을 고르세요.

❶ You (can / (must)) drive slowly.

　　당신은 천천히 운전해야 한다.

❷ Jessy (should / may) go to bed early.

　　제시는 일찍 자야 한다.

❸ You should (go / to go) to the dentist today.

　　너는 오늘 치과에 가는 게 좋겠다.

❹ My grandma (must / should not) exercise every day.

　　나의 할머니는 매일 운동하셔야 한다.

❺ Danny should (eat / eats) lots of vegetables.

　　대니는 채소를 많이 먹는 게 좋겠다.

❻ You (not must / must not) swim in this river.

　　너는 이 강에서 수영하면 안 된다.

❼ It's cold outside. You (should / shouldn't) wear a coat.

　　밖은 추워. 너는 외투를 입어야 해.

B　다음 주어진 문장의 내용에 맞게 알맞은 것을 연결하세요.

❶ I can't hear you.　　•

❷ The train will leave soon.　•

❸ Tony's room is dirty.　　•

❹ The box is not hers.　　•

❺ This knife is too sharp.　•

ⓐ He should clean his room.

ⓑ She must not open it.

ⓒ You should speak loudly.

ⓓ You shouldn't use it.

ⓔ We must leave now.

C 우리말에 맞게 보기의 단어와 주어진 조동사를 이용하여 문장을 완성하세요.

보기	feed	take	open	be	tell	ask

❶ 너는 거짓말을 해서는 안 된다. (must)

→ You _____ must not tell _____ lies.

❷ Betty(베티)는 휴식을 취하는 게 좋겠다. (should)

→ Betty _____ a rest.

❸ 어린이들은 조심해야 한다. (must)

→ Children _____ careful.

❹ 우리가 그 선생님께 여쭤보는 게 좋을까? (should)

→ _____ we _____ the teacher?

❺ 너는 그 상자를 열지 않는 게 좋겠다. (should)

→ You _____ the box.

❻ 너는 공원에서 비둘기에게 먹이를 줘서는 안 된다. (must)

→ You _____ pigeons in the park.

D 다음 밑줄 친 부분을 바르게 고쳐 쓰세요.

❶ We should <u>are</u> in the classroom. → _____ be _____

❷ You <u>not must</u> waste water. → _____

❸ Should we <u>calling</u> the police? → _____

❹ Evan <u>musts</u> go home now. → _____

❺ My sister shouldn't <u>reads</u> my diary. → _____

❻ You <u>must don't</u> use your cellphone here. → _____

A 우리말에 맞게 주어진 단어를 바르게 배열하세요.

① 너는 지금 이를 닦아야 한다. (you / teeth / brush / should / your)

→ _You should brush your teeth_ now.

② 우리는 그 꽃들을 꺾으면 안 된다. (not / pick / we / the flowers / must)

→ _____

③ 그녀는 헬멧을 쓰는 게 좋을까요? (a helmet / she / wear / should)

→ _____

④ 우리는 플라스틱을 재활용해야 한다. (recycle / must / we / plastics)

→ _____

⑤ 너는 벽에 그리면 안 된다. (draw / the wall / on / should / you / not)

→ _____

B 우리말에 맞게 주어진 단어를 이용하여 문장을 완성하세요.
(필요하면 단어를 추가하세요.)

① 너는 돌을 던져서는 안 된다. (must, stones, throw)

→ _You must not throw stones._

② Kate(케이트)는 그의 충고를 들어야 한다. (advice, listen to, should)

→ _____

③ 너는 규칙을 따라야 한다. (follow, the rules, must)

→ _____

④ 너는 그 개를 만지지 않는 게 좋겠다. (touch, the dog, should)

→ _____

⑤ 우리는 우리 교과서를 가져와야 하니? (bring, textbooks, should)

→ _____

CHAPTER EXERCISE

[01~02] 다음 빈칸에 들어갈 말로 알맞은 것을 고르세요.

01

> We _____ be quiet in the museum.
> 우리는 박물관에서 조용히 해야 한다.

① shouldn't ② must
③ may ④ may not
⑤ can

02

> He _____ computer games now.
> 그는 지금 컴퓨터 게임을 해도 된다.

① plays ② can plays
③ is playing ④ may playing
⑤ can play

[03~05] 우리말에 맞게 ( ) 안에서 알맞은 것을 고르세요.

03 My brother (can / may) use chopsticks.
내 남동생은 젓가락을 사용할 수 있다.

04 (May / Should) I use your phone?
제가 당신의 전화를 써도 되나요?

05 You (must / shouldn't) eat too much at night.
너는 밤에 너무 많이 먹으면 안 된다.

[06~08] 우리말에 맞게 보기의 단어를 이용하여 문장을 완성하세요.

<보기> may   must   cannot

06 You _____ wear my jacket.
너는 내 재킷을 입으면 안 된다.

07 My grandmother _____ be in the garden.
나의 할머니는 정원에 계실지도 모른다.

08 He _____ not drive at night.
그는 밤에 운전해서는 안 된다.

[09~10] 다음 주어진 단어를 이용하여 대화를 완성하세요.

09 (can, fix)
Q _____ Tom _____ the table?
A No, _____ _____.

10 (may, see)
Q _____ I _____ your album?
A Yes, _____ _____.

[11~12] 다음 중 밑줄 친 부분이 보기와 같은 의미로 쓰인 것을 고르세요.

11

<보기> Can I take pictures here?

① Can he cook well?
② Can we go home now?
③ My brother can ride his bike.
④ He can play soccer very well.
⑤ She can speak two languages.

12

<보기> It may rain today.

① May I use this cart?
② The news may be true.
③ You may not swim here.
④ You may use my cellphone.
⑤ You may leave the classroom.

[13~15] 다음 밑줄 친 부분을 바르게 고쳐 쓰세요.

13 Nate musts finish his homework.

→ _____

14 Ms. Green may don't know my name.

→ _____

15 Can Tim eats kimchi?

→ _____

[16~17] 다음 중 잘못된 문장을 고르세요.

16 ① We shouldn't be late.
② Julia can run very fast.
③ Can you call me later?
④ You don't must eat this.
⑤ The boy must learn the rules.

17 ① That car mayn't be safe.
② Sam should feed his dog.
③ Should I bring my lunch?
④ You may turn on the TV.
⑤ You can't take pictures in this museum.

[18~20] 우리말에 맞게 주어진 단어를 이용하여 문장을 완성하세요.

18 아이들은 일찍 잠자리에 들어야 한다.

→ Children _____ to bed early. (should, go)

19 나는 땅콩을 먹을 수 없다.

→ I _____ peanuts. (can, eat)

20 우리는 시간을 낭비해서는 안 된다.

→ We _____ our time. (must, waste)

REVIEW

A 다음 ( ) 안에서 알맞은 것을 고르세요.

❶ My sister (comed / (came)) home late.

❷ He (isn't should buy / shouldn't buy) the car.

❸ Jake and I (were / are) in the classroom now.

❹ Should Andy (go / goes) to school now?

❺ (Did / Do) you have dinner yesterday?

B 우리말에 맞게 보기의 단어를 이용하여 문장을 완성하세요.
(필요하면 단어를 추가하거나 단어의 형태를 바꾸세요.)

| 보기 | be | meet | snow | can | may | going to | did |

❶ It _____didn't_____ _____snow_____ last week.
지난주에는 눈이 오지 않았다.

❷ It _____ _____ now.
지금 눈이 내리고 있다.

❸ It _____ _____ _____ tomorrow.
내일은 눈이 오지 않을지도 모른다.

❹ _____ we _____ after school?
우리 방과 후에 만날 수 있을까?

❺ Jenny and I _____ _____ _____
_____ after school.
제니와 나는 방과 후에 만날 것이다.

❻ I _____ Jenny at the park yesterday.
나는 어제 공원에서 제니를 만났다.

to부정사와 동명사

UNIT 1 **to부정사**

to부정사의 형태와 문장에서의 쓰임을 이해할 수 있어요.

I want **to be** a singer.

UNIT 2 **동명사**

동명사의 형태와 문장에서의 쓰임을 이해할 수 있어요.

I enjoy **playing** soccer.

학습 목표

UNIT 1 I want **to be** a singer.

Step 1 to부정사란 무엇일까요?

to부정사란 「to+동사원형」의 형태로, 문장에서 명사처럼 쓰일 수 있어요.
'~하는 것, ~하기'라고 해석해요. 이번 유닛에서는 to부정사가 문장에서 목적어 역할을 하는 것에 대해 배워요.
이때, to부정사는 동사 바로 뒤에 쓰여 '~하는 것을, ~하기를'이라고 해석해요.

+ to부정사의 형태와 의미 +

to부정사 = to + 동사원형 ~하는 것, ~하기	read → to read 읽다　　읽는 것	He likes **to read** books. 그는 책 읽는 것을 좋아한다.
	cook → to cook 요리하다　요리하는 것	Tom learns **to cook**. 톰은 요리하는 것을 배운다.

✔체크　to부정사는 동사에서 나온 것이기 때문에 동사와 똑같이 뒤에 '목적어'나 '보어' 등이 올 수 있어요.
I **drink** <u>juice</u>. (나는 주스를 마신다.) → I want **to drink** <u>juice</u>. (나는 주스를 마시고 싶어.)
He **looks** <u>nice</u>. (그는 멋져 보인다.) → He wants **to look** <u>nice</u>. (그는 멋져 보이고 싶어 한다.)

+ 동사 + to부정사(목적어) +

want 원하다, ~하고 싶다		He **wants** to be a singer. 그는 가수가 되기를 원한다.
like 좋아하다		My sister **likes** to watch movies. 내 여동생은 영화 보는 것을 좋아한다.
love 아주 좋아하다	to + 동사원형 ~하는 것을, ~하기를	We **love** to travel. 우리는 여행하는 것을 아주 좋아한다.
learn 배우다		Jake **learns** to dance. 제이크는 춤추는 것을 배운다.
plan 계획하다		They **plan** to go to Europe. 그들은 유럽에 가는 것을 계획한다.
hope 희망하다, 바라다		We **hope** to see you again! 우리는 당신을 다시 만나기를 바랍니다!

✔체크　위의 동사들 뒤에는 '명사 목적어'도 올 수 있어요.
I **want** <u>a T-shirt</u>. (나는 티셔츠를 원해.) → I **want to buy a T-shirt**. (나는 티셔츠를 사고 싶어.)

A 다음 ( ) 안에서 알맞은 것을 고르세요.

❶ I don't want ((to walk) / to walks) home.
나는 집에 걸어가고 싶지 않다.

❷ Kate learns (to dance / to danced).
케이트는 춤추는 것을 배운다.

❸ I love (to listening / to listen) to music.
나는 음악 듣는 것을 아주 좋아한다.

❹ Elsa likes (to skate / to skating) in winter.
엘사는 겨울에 스케이트 타는 것을 좋아한다.

❺ Noah wants (to is / to be) a teacher.
노아는 선생님이 되기를 원한다.

❻ We are planning (to buy / buy to) a new sofa.
우리는 새 소파를 살 계획을 하고 있다.

B 우리말에 맞게 주어진 단어를 이용하여 문장을 완성하세요.

❶ Linda(린다)는 파티에 갈 계획이 없다. (go)

→ Linda doesn't plan ____to____ ____go____ to the party.

❷ Jessica(제시카)는 영어를 공부하기를 원한다. (study)

→ Jessica wants _____ English.

❸ 나의 언니는 금메달을 따기를 바란다. (win)

→ My sister hopes _____ _____ the gold medal.

❹ 내 남동생은 자전거 타는 것을 배우고 있다. (ride)

→ My brother is learning _____ a bike.

C 다음 표를 보고, 빈칸에 알맞은 말을 쓰세요.

Ted	Ryan	to do
love	want	read books
plan	like	watch movies
learn	hope	play the piano
hope	plan	travel to Busan
want	want	go camping

❶ Ted loves _____to_____ _____read_____ books.

❷ Ryan likes _____ _____ movies.

❸ Ted learns _____ _____ the piano.

❹ Ryan plans _____ _____ to Busan.

❺ Ted and Ryan want _____ _____ camping.

D 다음 밑줄 친 부분을 바르게 고쳐 쓰세요.

❶ I hope <u>seeing</u> you again.
저는 당신을 다시 만나기를 바랍니다.
➡  _____to see_____

❷ He wants to <u>is</u> a pilot.
그는 비행기 조종사가 되고 싶어 한다.
➡  _____

❸ The child is learning to <u>reads</u>.
그 아이는 읽는 것을 배우는 중이다.
➡  _____

❹ Roy planned <u>visit</u> Korea.
로이는 한국에 방문하는 것을 계획했다.
➡  _____

❺ I want to <u>buying</u> that coat.
나는 저 코트를 사고 싶어.
➡ _____

Step 3 배운 내용을 문장에 적용해요.

A 우리말에 맞게 주어진 단어를 바르게 배열하세요.

❶ 너는 수영하는 것을 배웠니? (swim / learn / did / to / you)

→ Did you learn to swim?

❷ 나는 그 아이들을 돕고 싶다. (help / I / the kids / to / want)

→ _____

❸ 그녀는 사진 찍는 것을 아주 좋아한다. (loves / pictures / to / she / take)

→ _____

❹ 우리는 해변에 가기로 계획했다. (go / we / to / planned / to the beach)

→ _____

❺ 그들은 금을 찾기를 바랐다. (to / gold / they / find / hoped)

→ _____

B 우리말에 맞게 주어진 단어를 이용하여 문장을 완성하세요.
(필요하면 단어를 추가하거나 형태를 바꾸세요.)

❶ Linda(린다)는 박물관에 가는 것을 좋아한다. (like, visit, museums)

→ Linda likes to visit museums.

❷ 나의 삼촌은 농부가 되기를 바라신다. (uncle, hope, be, a farmer)

→ _____

❸ 그는 쿠키 굽는 것을 배웠다. (learn, bake, cookies)

→ _____

❹ 내 남동생은 햄버거를 먹고 싶어 한다. (brother, want, eat, a hamburger)

→ _____

❺ 그 마을은 공원을 짓기로 계획했다. (the town, plan, build, a park)

→ _____

UNIT 2 동명사
I enjoy **playing** soccer.

동명사란 무엇일까요?

동명사란 '동사'를 '명사'처럼 바꿔 쓰는 것을 말해요.
동사원형 뒤에 -ing를 붙이면 명사로 변하며 '~하는 것, ~하기'로 해석해요.
to부정사와 쓰임이 비슷하지만, 보통 함께 쓰이는 동사가 다르므로 주의해야 해요.

+ 동명사의 형태와 역할 +

> 동명사의 형태는 현재진행형에서 배운
> 동사의 -ing형 만드는 방법과 같아요. ☞ p.100

동명사	주어 ~하는 것은	Riding a bike **is** fun. 자전거를 타는 것은 재미있다.
= 동사원형 + -ing ~하는 것, ~하기	목적어 ~하는 것을, 하기를	I **enjoy playing** soccer. 나는 축구를 하는 것을 즐긴다.

✔체크 동명사도 동사에서 나온 것이기 때문에 동사와 똑같이 뒤에 '목적어'나 '보어' 등이 올 수 있어요.
I **play** soccer. (나는 축구를 한다.) → I enjoy **playing** soccer. (나는 축구하는 것을 즐긴다.)

✔체크 동명사 주어의 동사는 반드시 3인칭 단수형이 쓰여요. 바로 앞에 복수 명사가 있을 때 주의하세요.
Playing games are fun. (X) **Playing games is** fun. (O) (게임을 하는 것은 재미있다.)

+ 동사 + 동명사(목적어) +

enjoy 즐기다	동사원형 + -ing ~하는 것을, ~하기를	Dad **enjoys baking** cookies. 아빠는 쿠키 굽는 것을 즐기신다.
finish 끝내다, 마치다		He **finished** doing his homework. 그는 숙제하는 것을 끝냈다.
practice 연습하다		They **practiced** dancing. 그들은 춤추는 것을 연습했다.

✔체크 동사 뒤에 목적어로 동명사와 to부정사가 모두 올 수 있는 동사들은 다음과 같아요.
like/love/start/begin + 동명사/to부정사
He **started singing**. = He **started to sing**. (그는 노래하기 시작했다.)

+ 동명사를 이용한 표현 +

go + 동명사	~하러 가다	Let's **go** swimming. 수영하러 가자.
How about + 동명사 ~?	~하는 게 어때?	**How about** taking the subway? 지하철을 타는 게 어때?

A 우리말에 맞게 주어진 단어를 빈칸에 알맞은 동명사로 바꿔 쓰세요.

❶ 비가 내리기 시작했다. (rain)

→ It started _____raining_____ .

❷ 그는 TV 보는 것을 즐긴다. (watch)

→ He enjoys _____ TV.

❸ 샌드위치를 만드는 것은 어렵지 않았다. (make)

→ _____ a sandwich was not difficult.

❹ Angela(안젤라)는 숙제하는 것을 끝냈다. (do)

→ Angela finished _____ her homework.

❺ 공원에 가는 게 어때? (go)

→ How about _____ to the park?

❻ 그들은 주말마다 수영하러 간다. (swim)

→ They go _____ every weekend.

B 다음 ( ) 안에서 알맞은 것을 고르세요.

❶ (Read / ⟨Reading⟩) books is my hobby.

책을 읽는 것은 내 취미이다.

❷ I practice (play / playing) the guitar.

나는 기타 치는 것을 연습한다.

❸ We began (exercising / exercised) every day.

우리는 매일 운동하기 시작했다.

❹ Did you finish (to wash / washing) the dishes?

너는 설거지하는 것을 끝냈니?

C 다음 밑줄 친 부분의 우리말 해석을 완성하세요.

① **Drawing** pictures is interesting.

➔ 그림을 <u>　그리는 것은　</u> 재미있다.

② He practices **speaking** English.

➔ 그는 영어로 <u>　　　　　　　　　</u> 연습한다.

③ **Riding** a horse was not easy.

➔ 말을 <u>　　　　　　　　　</u> 쉽지 않았다.

④ Andy enjoys **cooking** for his family.

➔ 앤디는 그의 가족을 위해 <u>　　　　　　　　　</u> 즐긴다.

⑤ She doesn't like **cleaning** the bathroom.

➔ 그녀는 욕실을 <u>　　　　　　　　　</u> 좋아하지 않는다.

D 다음 밑줄 친 부분을 바르게 고쳐 쓰세요.

① Kelly doesn't enjoy <u>eats</u> vegetables. ➔ <u>　　eating　　</u>

　　켈리는 채소 먹는 것을 즐기지 않는다.

② He practices <u>to swim</u> in the sea. ➔ <u>　　　　　　　</u>

　　그는 바다에서 수영하는 것을 연습한다.

③ My dad goes <u>fish</u> on weekends. ➔ <u>　　　　　　　</u>

　　나의 아빠는 주말마다 낚시하러 가신다.

④ How about <u>stay</u> at home today? ➔ <u>　　　　　　　</u>

　　오늘은 집에 있는 게 어때?

⑤ Rick finished <u>to have</u> lunch. ➔ <u>　　　　　　　</u>

　　릭은 점심 식사하는 것을 끝냈다.

A 우리말에 맞게 주어진 단어를 바르게 배열하세요.

❶ James(제임스)는 매일 아침 달리러 간다. (running / James / goes)

→ ___James goes running_____ every morning.

❷ 나는 중국어 배우는 것을 시작했다. (started / I / learning / Chinese)

→ _____

❸ 그는 숙제하는 것을 끝냈다. (doing / he / homework / finished / his)

→ _____

❹ 젓가락을 사용하는 것은 쉽지 않다. (not / using / easy / is / chopsticks)

→ _____

❺ 내 형은 영화 보는 것을 즐긴다. (enjoys / movies / brother / watching / my)

→ _____

B 우리말에 맞게 주어진 단어를 이용하여 문장을 완성하세요.
(필요하면 단어를 추가하거나 형태를 바꾸세요.)

❶ 야구를 하는 것은 내 취미이다. (play, baseball, be, hobby)

→ ___Playing baseball is my hobby.___

❷ 나는 기타를 치는 것을 연습했다. (practice, play, the guitar)

→ _____

❸ 그 계획을 바꾸는 게 어때? (the plan, how, change, about)

→ _____

❹ 그녀는 코코아 마시는 것을 즐긴다. (enjoy, drink, hot chocolate)

→ _____

❺ 그 남자들은 벽에 페인트칠하는 것을 끝마쳤다. (the men, finish, paint, the wall)

→ _____

[01~02] 다음 빈칸에 들어갈 말로 알맞은 것을 고르세요.

01
> She hopes _____ a famous singer.

① be   ② to be
③ being   ④ is
⑤ to being

02
> My family _____ taking a walk.

① wants   ② learns
③ plans   ④ hopes
⑤ enjoys

[03~05] 다음 ( ) 안에서 알맞은 것을 고르세요.

03 Sally learned (to drive / driving) a car.
샐리는 운전하는 것을 배웠다.

04 (Baking / Bake) cookies was fun.
쿠키를 굽는 것은 재미있었다.

05 Some people don't like (eats / eating) meat.
어떤 사람들은 고기 먹는 것을 좋아하지 않는다.

[06~07] 다음 우리말을 영어로 바르게 옮긴 것을 고르세요.

06
> 그녀는 오늘 외식하기를 원한다.

① She wants eat out today.
② She wants to eat out today.
③ She wants eating out today.
④ She wants to eating out today.
⑤ She wants eats out today.

07
> 그는 잔디 깎는 것을 끝냈니?

① Did he finish cut the grass?
② Did he finish cuting the grass?
③ Did he finish cutting the grass?
④ Did he finish to cut the grass?
⑤ Did he finish cuts the grass?

08 다음 빈칸에 공통으로 들어갈 말로 알맞은 것을 고르세요.

> · Let's go _____ today.
> · My brother enjoys _____ .

① camp   ② camps
③ to camp   ④ camping
⑤ to camping

[09~11] 다음 두 문장이 같은 의미가 되도록 빈칸에 알맞은 말을 쓰세요.

09 Kids love to eat ice cream.

= Kids love _____ ice cream.

10 The boys began playing tennis.

= The boys began _____ tennis.

11 Dave likes to ride his bike.

= Dave likes _____ his bike.

[12~13] 다음 밑줄 친 부분이 잘못된 것을 고르세요.

12 ① I hope to visit Paris.

② It started to snow.

③ She wants to be a doctor.

④ The girl likes to wear caps.

⑤ He didn't finish to clean the house.

13 ① Playing soccer is fun.

② How about going on a picnic?

③ Do you enjoy cooking?

④ He learns playing the guitar.

⑤ Monica and I started working last year.

[14~17] 우리말에 맞게 주어진 단어를 이용하여 빈칸에 알맞은 말을 쓰세요.

14 I hope _____ to Spain. (travel)

나는 스페인으로 여행을 가길 희망한다.

15 Mark practices _____ every day. (dance)

마크는 매일 춤추는 것을 연습한다.

16 She planned _____ a bakery. (open)

그녀는 제과점을 열기로 계획했다.

17 _____ the museum? (how, visit)

그 박물관을 방문하는 게 어때?

[18~20] 우리말에 맞게 밑줄 친 부분을 바르게 고쳐 쓰세요.

18 Jack wants meeting his classmates.

잭은 그의 반 친구들을 만나고 싶어 한다.

➡ _____

19 They go shop every weekend.

그들은 주말마다 쇼핑하러 간다.

➡ _____

20 We enjoyed to make a snowman.

우리는 눈사람 만드는 것을 즐겼다.

➡ _____

A 다음 (   ) 안에서 알맞은 것을 고르세요.

❶ We hope (to live / living) in Jeju.

❷ (Do you can / Can you) wait for me?

❸ Should Ted (go / goes) to bed now?

❹ You must (pick not / not pick) the flowers.

❺ Do you enjoy (to go / going) to museums?

❻ (Learn / Learning) English is fun.

B 우리말에 맞게 보기의 단어를 이용하여 문장을 완성하세요.
(필요하면 단어를 추가하거나 단어의 형태를 바꾸세요.)

보기	can should join read exercise want finish

❶ She ____should____ ____exercise____ every day.
그녀는 매일 운동해야 한다.

❷ Robin started _____ _____ every day.
로빈은 매일 운동하기 시작했다.

❸ Jenny may _____ _____ _____ us.
제니는 우리와 함께하고 싶어 할지도 몰라.

❹ _____ you _____ your homework soon?
너는 네 숙제를 곧 끝낼 수 있니?

❺ You _____ _____ _____ this book.
너는 이 책을 읽는 것을 끝마쳐야 한다.

비교급과 최상급

UNIT 1 **비교급**

형용사와 부사를 이용해서 두 대상을 비교하는 표현을 쓸 수 있어요.
I'm **taller than** you.

UNIT 2 **최상급**

형용사와 부사를 이용해서 셋 이상의 대상을 비교하는 표현을
쓸 수 있어요.
It's **the largest** city in Korea.

학습 목표

UNIT 1 〔비교급〕 I'm **taller than** you.

비교급이란 무엇일까요?

비교급은 'A가 B보다 더 ~하다'라고 두 대상을 비교해서 나타낼 때 쓰여요.
비교급을 만들 때는 형용사 또는 부사 뒤에 대부분 -er을 붙이면 되지만,
예외적인 경우도 있으므로 형태를 잘 기억해야 해요.

+ 원급과 비교급 +

> '원급'이란 형용사와 부사의 원래 형태를 말해요.

원급 ~한/하게	short 짧은
비교급 더 ~한/하게	shorter 더 짧은

+ 비교급 만드는 법 +

대부분의 단어	원급 + -er	long → longer small → smaller	fast → faster high → higher
-e로 끝나는 단어	원급 + -r	nice → nicer	large → larger
'자음+y'로 끝나는 단어	y를 i로 고치고 + -er	easy → easier early → earlier	heavy → heavier happy → happier
'모음 1개+자음 1개'로 끝나는 단어	마지막 자음 한 번 더 쓰고 + -er	big → bigger hot → hotter	fat → fatter thin → thinner
주로 3음절 이상인 단어	more + 원급	beautiful → more beautiful slowly → more slowly	slowly는 [slóuli]로 발음되는데, 모음이 [ou]와 [i] 두 개이므로 2음절 단어예요.
불규칙 변화	good(좋은)/well(잘) → better many/much(많은) → more	bad(나쁜) → worse little(적은) → less	

✔체크 음절이란 단어가 발음되는 모음을 뜻해요. beautiful은 모음이 [bjú], [tə], [fəl] 3개여서 3음절이에요.

✔체크 slowly처럼 일부 2음절 단어 앞에도 more를 붙여요.
tired → **more** tired   boring → **more** boring   famous → **more** famous   quickly → **more** quickly

+ 비교급 표현 +

> than(~보다) 앞에는 항상 비교급을 써야 해요.

비교급 + than …보다 더 ~한/하게	Ross is shorter than his brother . 로스는 그의 형보다 키가 더 작다. She runs faster than Jack . 그녀는 잭보다 더 빨리 달린다.

A 다음 빈칸에 알맞은 비교급을 쓰세요.

❶	big	bigger	❷	tall	
❸	happy		❹	good	
❺	safe		❻	hot	
❼	little		❽	early	
❾	fat		❿	lazy	
⓫	young		⓬	difficult	
⓭	much		⓮	fast	
⓯	popular		⓰	slowly	

B 다음 ( ) 안에서 알맞은 것을 고르세요.

❶ Ted is (tall / (taller)) than Paul.

　테드는 폴보다 키가 더 크다.

❷ She dances (well / better) than you.

　그녀는 너보다 춤을 더 잘 춘다.

❸ This song is (famouser / more famous) than that song.

　이 노래가 저 노래보다 더 유명하다.

❹ The pumpkin is (more heavy / heavier) than the cucumber.

　호박은 오이보다 더 무겁다.

❺ Daegu is (hotter / hoter) than Seoul in summer.

　대구는 여름에 서울보다 더 덥다.

❻ My hair is (longer / longger) than her hair.

　내 머리카락이 그녀의 머리카락보다 더 길다.

C 다음 주어진 단어를 이용하여 문장을 완성하세요.

① I'm _____ younger _____ than Nate. (young)
나는 네이트보다 더 어리다.

② His bag is _____ than mine. (big)
그의 가방은 내 것보다 더 크다.

③ The train is _____ than the bus. (long)
그 기차는 그 버스보다 더 길다.

④ Mangos are _____ than apples. (expensive)
망고는 사과보다 더 비싸다.

⑤ This box is _____ than that box. (light)
이 상자는 저 상자보다 더 가볍다.

⑥ Jaden gets up _____ than his brother. (early)
제이든은 그의 형보다 더 일찍 일어난다.

⑦ Amy sings _____ than Sam. (well)
에이미는 샘보다 노래를 더 잘 부른다.

⑧ This actor is _____ than that actor. (famous)
이 배우는 저 배우보다 더 유명하다.

D 다음 밑줄 친 부분을 바르게 고쳐 쓰세요.

① This house is <u>old</u> than that house. → _____ older _____

② This puzzle is <u>easyer</u> than that puzzle. → _____

③ His grade is <u>badder</u> than mine. → _____

④ I run <u>more fast</u> than my sister. → _____

⑤ The earth is <u>beautifuler</u> than the moon. → _____

⑥ Kevin speaks Korean <u>well</u> than Ted. → _____

A 우리말에 맞게 주어진 단어를 바르게 배열하세요.

① 서울은 부산보다 더 춥다. (than / Busan / is / Seoul / colder)

→ Seoul is colder than Busan.

② 자동차가 오토바이보다 더 안전하다. (are / cars / motorcycles / safer / than)

→

③ 해바라기는 튤립보다 더 크다. (a sunflower / than / is / a tulip / bigger)

→

④ Jerry(제리)는 Ben(벤)보다 더 천천히 운전한다.
(Ben / Jerry / than / slowly / drives / more)

→

B 우리말에 맞게 주어진 단어를 이용하여 문장을 완성하세요.
(필요하면 단어를 추가하거나 형태를 바꾸세요.)

① 한국이 러시아보다 더 따뜻하다. (Korea, Russia, warm, be)

→ Korea is warmer than Russia.

② 그의 고양이가 내 고양이보다 더 뚱뚱하다. (cat, fat, be)

→

③ 태양은 달보다 더 크다. (the sun, the moon, large, be)

→

④ 그녀는 John(존)보다 스케이트를 더 잘 탄다. (well, skate)

→

⑤ 이 책은 저 책보다 더 재미있다. (this, that, book, interesting, be)

→

UNIT 2 It's **the largest** city in Korea.

최상급

Step 1 최상급이란 무엇일까요?

최상급은 '~가 가장 …하다'라고 셋 이상의 대상을 비교해서 나타낼 때 쓰여요.
최상급을 만들 때는 대부분의 형용사 또는 부사 뒤에 -est를 붙이면 되지만,
예외적인 경우도 있으므로 형태를 잘 기억해야 해요.

+ 원급, 비교급, 최상급 +

원급 ~한/하게	비교급 더 ~한/하게	최상급 가장 ~한/하게
short 짧은	shorter 더 짧은	shortest 가장 짧은

+ 최상급 만드는 법 +

대부분의 단어	원급 + -est	long → longest small → smallest	fast → fastest high → highest
-e로 끝나는 단어	원급 + -st	nice → nicest	large → largest
'자음+y'로 끝나는 단어	y를 i로 고치고 + -est	easy → easiest early → earliest	heavy → heaviest happy → happiest
'모음 1개+자음 1개'로 끝나는 단어	마지막 자음 한 번 더 쓰고 + -est	big → biggest hot → hottest	fat → fattest sad → saddest
주로 3음절 이상인 단어	most + 원급	beautiful → most beautiful slowly → most slowly	
불규칙 변화	good(좋은)/well(잘) → best many/much(많은) → most		bad(나쁜) → worst little(적은) → least

+ 최상급 표현 +

the + 최상급 (+명사) + in/of ... … (중)에서 가장 ~한/하게	Seoul is **the largest** city **in** Korea. 서울은 한국에서 가장 큰 도시이다. Kevin eats **the most slowly of** all the students. 케빈은 모든 학생들 중에서 가장 천천히 먹는다.

✔체크 최상급 뒤에는 in이나 of를 써서 '~(중)에서'라는 비교 대상이나 범위를 나타내요.
주로 「in+(범위나 장소의) 단수 명사」 또는 「of+(비교 대상의) 복수 명사」의 형태로 쓰여요.

Step 2 문제를 풀며 이해해요.

A 다음 빈칸에 알맞은 최상급을 쓰세요.

❶	easy	easiest	❷	hot	
❸	much		❹	tall	
❺	safe		❻	good	
❼	delicious		❽	heavy	
❾	cool		❿	wise	
⓫	little		⓬	dangerous	
⓭	big		⓮	busy	
⓯	lazy		⓰	bad	

B 다음 ( ) 안에서 알맞은 것을 고르세요.

❶ Where is (the closest / the most close) station?

가장 가까운 역은 어디인가요?

❷ Kelly is (the younger / the youngest) in my family.

켈리는 나의 가족 중에서 가장 어리다.

❸ The cheetah runs (a / the) fastest of all animals.

치타는 모든 동물들 중에서 가장 빨리 달린다.

❹ Yesterday was (the better / the best) day of my life.

어제는 내 생애 최고의 날이었다.

❺ This bag is (the expensivest / the most expensive) in the store.

이 가방은 그 상점에서 가장 비싸다.

❻ It is (the most old / the oldest) hotel in Europe.

그것은 유럽에서 가장 오래된 호텔이다.

C

다음 주어진 단어를 이용하여 문장을 완성하세요.

❶ She is ___the smartest___ girl in her class. (smart)
그녀는 그녀의 반에서 가장 똑똑한 여자아이다.

❷ It was _____ song of the year. (popular)
그것은 그 해의 가장 인기 있는 노래였다.

❸ My grandmother is _____ in our family. (wise)
나의 할머니는 우리 가족 중에서 가장 현명하시다.

❹ He is _____ player on the team. (good)
그는 팀에서 최고의 선수이다.

❺ I am _____ man in the world. (happy)
나는 세상에서 가장 행복한 사람이다.

❻ Fred eats _____ in his family. (quickly)
프레드는 그의 가족 중에서 가장 빠르게 먹는다.

❼ My cat is _____ of the three cats. (fat)
나의 고양이는 세 마리 고양이들 중에 가장 뚱뚱하다.

❽ She is _____ pilot in the world. (young)
그녀는 세계에서 가장 어린 비행기 조종사이다.

D

다음 밑줄 친 부분을 바르게 고쳐 쓰세요.

❶ It is the <u>earlyest</u> train to London. → ___earliest___

❷ Science is <u>most</u> difficult subject of all. → _____

❸ August is the <u>hotest</u> month in Seoul. → _____

❹ He is the <u>most rich</u> man in the world. → _____

❺ What is the <u>larger</u> island in Korea? → _____

❻ Steve works the <u>most hardest</u> of the three. → _____

Step 3 배운 내용을 문장에 적용해요.

A 우리말에 맞게 주어진 단어를 바르게 배열하세요.

① 이 카메라가 세 개 중에서 가장 무겁다. (camera / the / is / this / heaviest)
→ ___This camera is the heaviest___ of the three.

② 그는 모든 운전사들 중에 가장 조심성이 있다. (careful / he / most / the / is)
→ _____ of all the drivers.

③ 유럽에서 가장 높은 산은 무엇이니? (is / highest / what / mountain / the)
→ _____ in Europe?

④ 이 음료가 그 카페에서 가장 싸다. (cheapest / this / the / is / drink)
→ _____ in the cafe.

⑤ 이 신발이 그 상점에서 가장 예뻤다. (the / were / shoes / prettiest / these)
→ _____ in the shop.

B 우리말에 맞게 주어진 단어를 이용하여 문장을 완성하세요.
(필요하면 단어를 추가하거나 형태를 바꾸세요.)

① 그것은 그 해의 최악의 영화였다. (bad, movie, be)
→ ___It was the worst movie___ of the year.

② 그는 내 친구들 중에 가장 웃기다. (funny, be)
→ _____ of my friends.

③ 이것은 그 책에서 가장 슬픈 이야기이다. (this, sad, story, be)
→ _____ in the book.

④ 그녀는 한국에서 가장 유명한 가수이다. (famous, singer, be)
→ _____ in Korea.

⑤ Jeff(제프)는 우리 반에서 가장 똑똑한 학생이다. (smart, student, be)
→ _____ in our class.

[01~02] 다음 단어의 비교급과 최상급이 <u>잘못</u> 연결된 것을 고르세요.

01 ① little - less - least
② thin - thinner - thinnest
③ easy - easyer - easyest
④ strong - stronger - strongest
⑤ famous - more famous
- most famous

02 ① bad - badder - baddest
② lazy - lazier - laziest
③ good - better - best
④ nice - nicer - nicest
⑤ pretty - prettier - prettiest

[03~05] 다음 ( ) 안에서 알맞은 것을 고르세요.

03 Lisa sings (well / better) than Amy.

04 Roy runs (slowlier / more slowly) than my brother.

05 This is (the most long / the longest) bridge in the city.

06 다음 빈칸에 들어갈 말로 알맞은 것을 고르세요.

> February is the _____ month of the year.

① short
② shorter
③ shortest
④ most short
⑤ more short

[07~08] 다음 빈칸에 들어갈 말로 알맞지 <u>않은</u> 것을 고르세요.

07
> Peter is _____ than Robin.

① taller
② heavier
③ kinder
④ younger
⑤ busiest

08
> She is the _____ teacher in my school.

① nicest
② smartest
③ best
④ tallest
⑤ more popular

CHAPTER 5

[09~11] **다음 빈칸에 more 또는 most를 쓰세요.**

09 That car is _____ expensive than this car.

10 He's _____ handsome than his brother.

11 She is the _____ famous writer in England.

[12~15] **다음 주어진 단어를 이용하여 문장을 완성하세요.**

12 Andy arrived _____ than Jenny. (early)

앤디는 제니보다 더 일찍 도착했다.

13 He is _____ _____ swimmer in Korea. (good)

그는 한국에서 최고의 수영선수이다.

14 This cake is _____ _____ than that pie. (delicious)

이 케이크가 저 파이보다 더 맛있다.

15 He was _____ _____ man in the world. (lucky)

그는 세상에서 가장 운이 좋은 사람이었다.

[16~18] **다음 표를 보고, 보기의 단어를 이용하여 빈칸에 알맞은 말을 쓰세요.**

이름	나이	키
Jack	12	145cm
Ted	11	140cm
Alice	14	155cm

<보기> young   old   tall

16 Jack is _____ Ted. (나이)

17 Ted is _____ Alice. (나이)

18 Alice is _____ of the three. (키)

[19~20] **다음 밑줄 친 부분을 바르게 고쳐 쓰세요.**

19 This room is the <u>larger</u> in the house.

이 방은 그 집에서 가장 크다.

→ _____

20 It was <u>the bad</u> news of the year.

그것은 그 해에서 최악의 뉴스였다.

→ _____

REVIEW

A 다음 ( ) 안에서 알맞은 것을 고르세요.

❶ Spring is (warm / (warmer)) than winter.

❷ They plan (buying / to buy) a new house.

❸ Guitars are (biger / bigger) than violins.

❹ Did she finish (reading / to read) the book?

❺ Rachel is the (older / oldest) child in her family.

❻ Jake likes (drawing / draws) pictures.

B 우리말에 맞게 보기의 단어를 이용하여 문장을 완성하세요.
(필요하면 단어를 추가하거나 단어의 형태를 바꾸세요.)

보기	cook	learn	good	well	than	the

❶ I began ___learning___ Chinese.

나는 중국어 배우는 것을 시작했다.

❷ My brother cooks _____ _____ my mom.

나의 오빠는 엄마보다 더 요리를 잘한다.

❸ He learned _____ _____ Chinese food.

그는 중국 음식을 요리하는 것을 배웠다.

❹ He practices _____ every day.

그는 매일 요리하는 것을 연습한다.

❺ It is _____ _____ restaurant in the city.

그것은 그 도시에서 최고의 식당이다.

접속사

학습 목표

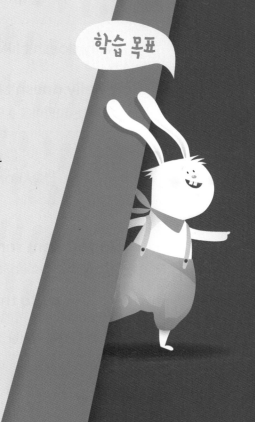

and, but, or

It is sunny **and** hot.

Step 1 | 접속사란 무엇일까요?

접속사란 단어와 단어, 또는 문장과 문장을 연결해 주는 말이에요.
대표적인 접속사로는 and, but, or 등이 있어요. and, but, or가 연결하는 앞뒤의 말은
명사와 명사, 형용사와 형용사, 문장과 문장처럼 같은 역할을 하는 말이어야 해요.

+ 접속사 and: 비슷한 내용을 연결 +

| and
~와/과, 그리고 | It is <u>sunny</u> 단어 and <u>hot</u> 단어 today.
오늘은 화창하고 덥다.

Sam watches TV. 문장 + His sister plays the violin. 문장
→ **Sam watches TV, and his sister plays the violin.**
샘은 TV를 보고 그의 여동생은 바이올린을 연주한다. |

✓체크 여러 개의 단어를 나열할 때, and는 마지막 단어 앞에 한 번만 쓰고 나머지는 콤마(,)로 연결해요.
I like **apples**, **cherries**, **and grapes**. (나는 사과, 체리, 그리고 포도를 좋아한다.)

+ 접속사 but: 반대되는 내용을 연결 +

| but
그러나, 하지만 | Kelly doesn't like cats. 문장 + I love cats. 문장
→ **Kelly doesn't like cats, but I love cats.**
켈리는 고양이를 좋아하지 않지만 나는 고양이를 아주 좋아한다. |

+ 접속사 or: 선택해야 하는 대상을 연결 +

| or
~이거나, 또는,
아니면 | Do you want some <u>water</u> 단어 or <u>soda</u> 단어 ?
너는 물 또는 탄산음료를 원하니?

We can <u>go to the park</u> 동사구 , or <u>stay at home</u> 동사구 .
우리는 공원에 가거나 집에 머무를 수 있다. |

'구'란 두 개 이상의
단어 덩어리를 말해요.

A 다음 문장에서 접속사를 찾아 동그라미한 다음, 접속사가 연결하는 말에 각각 밑줄을 그으세요.

❶ Jane and her mom are at the hospital.

❷ The sofa is nice, but it's too expensive.

❸ Do you want to drink coffee or tea?

❹ Those boxes are small but heavy.

❺ We will go camping, or go surfing.

❻ The shirt is old, but it looks good.

❼ She is a vet, and her brother is a cook.

B 우리말에 맞게 보기에서 알맞은 것을 골라 쓰세요.

보기	and	but	or

❶ 오늘은 흐리고 바람이 분다.

➜ It is cloudy _____and_____ windy today.

❷ 나는 닭고기를 좋아하지만 돼지고기는 좋아하지 않는다.

➜ I like chicken, _____ I don't like pork.

❸ Mary(메리)는 지우개와 펜과 필통을 샀다.

➜ Mary bought an eraser, a pen, _____ a pencil case.

❹ 너는 햄버거 또는 샌드위치를 먹을 수 있다.

➜ You can have a hamburger _____ a sandwich.

❺ Ron(론)은 열심히 공부했지만 시험에 떨어졌다.

➜ Ron studied hard, _____ he failed the test.

C 우리말에 맞게 주어진 단어와 보기의 단어를 이용하여 문장을 완성하세요.

보기	and	but	or

❶ 나는 그곳에 차를 타거나 버스를 타고 갈 수 있다. (bus, car)

→ I can go there by _____car_____ _____or_____ by _____bus_____.

❷ 그 나라는 작지만 강하다. (small, strong)

→ The country is _____ _____ _____.

❸ 오늘이 수요일이니 아니면 목요일이니? (Wednesday, Thursday)

→ Is it _____ _____ _____ today?

❹ Andrew(앤드류)는 친절하고 재미있다. (kind, funny)

→ Andrew is _____ _____ _____.

❺ 말은 빠르지만 코알라는 느리다. (fast, slow)

→ Horses are _____, _____ koalas are _____.

❻ Jenny(제니)는 서점에 가서 책 한 권을 샀다. (went, bought)

→ Jenny _____ to the bookstore _____ _____ a book.

D 의미상 자연스러운 문장이 되도록 알맞게 연결하세요.

❶ I went to Danny's house, •   ⓐ but she was late for school.

❷ Bora got up early,   •   ⓑ and monkeys at the zoo.

❸ He'll come back tonight •   ⓒ and we played computer games.

❹ We saw tigers   •   ⓓ or tomorrow morning.

❺ That is Ann's mom   •   ⓔ or her aunt.

A 우리말에 맞게 주어진 말을 바르게 배열하세요.

① 우리는 Elly(엘리)와 그녀의 남편을 저녁식사에 초대했다.
(invited / and / we / her husband / Elly)

→ ___We invited Elly and her husband_____ for dinner.

② 나는 사과를 좋아하지만, 그는 바나나를 좋아한다.
(apples / like / he / bananas / likes / I / but)

→ _____ , _____ .

③ 나는 수의사나 동물원 사육사가 되고 싶다.
(to / a zookeeper / be / I / or / a vet / want)

→ _____ .

④ James(제임스)는 설거지를 했고, Sam(샘)은 집을 청소했다.
(washed / and / Sam / the dishes / cleaned / James / the house)

→ _____ , _____ .

B 우리말에 맞게 주어진 단어를 이용하여 문장을 완성하세요.
(필요하면 단어를 추가하거나 형태를 바꾸세요.)

① 그녀는 피곤했지만 그녀의 숙제를 끝냈다. (be, tired, finish, homework)

→ ___She was tired, but she finished her homework.___

② Eddie(에디)는 호주인이니 아니면 영국인이니? (be, Australian, British)

→ _____

③ 그 선수들은 젊고 빠르다. (be, the players, young, fast)

→ _____

④ 내 책상은 오래됐지만 튼튼하다. (be, desk, old, strong)

→ _____

Step 1 접속사 because, so, when은 어떤 의미로 쓰일까요?

접속사 because는 '~ 때문에, 왜냐하면'이라는 뜻으로, 어떠한 일이 일어난 '원인이나 이유'를 나타낼 때 사용해요. 반대로 '그래서, ~해서'라고 어떠한 일의 '결과'를 나타낼 때는 접속사 so를 사용해요.
접속사 when은 '~할 때'라는 의미로, 어떤 일이 일어난 시간을 나타낼 때 사용해요.
because, so, when 모두 문장과 문장을 연결하는 말이기 때문에 뒤에는 「주어+동사」가 와야 해요.

+ because: 원인/이유 +

because ~ 때문에, 왜냐하면	**I was late for school.** (결과) + **I woke up late.** (원인/이유) → I was late for school **because** I woke up late. → **Because** I woke up late, I was late for school. 나는 늦게 일어났기 때문에 학교에 지각했다.

「Because+주어+동사 ~」가 문장 제일 앞에 나올 때는 뒤에 콤마(,)로 구분해요.

+ so: 결과 +

so 그래서, ~해서	**It rained.** (원인/이유) + **He stayed at home.** (결과) → It rained, **so** he stayed at home. 비가 와서 그는 집에 있었다.

✔체크 so가 이끄는 문장은 '결과'를 나타내고, because가 이끄는 문장은 '원인이나 이유'를 나타내요.

+ when: 시간 +

when ~할 때	**I play games.** (문장) + **I have free time.** (문장) → I play games **when** I have free time. → **When** I have free time, I play games. 나는 여가시간이 있을 때, 게임을 한다.

「When+주어+동사 ~」가 문장 제일 앞에 나올 때는 뒤에 콤마(,)로 구분해요.

✔체크 when은 '언제'라는 의미로 의문사 의문문을 만들 때도 쓰여요. (☞ Plus ❷ CHAPTER 5)
When did you see her? (너는 그녀를 언제 봤니?)

Step 2 문제를 풀며 이해해요.

A 우리말에 맞게 다음 ( ) 안에서 알맞은 것을 고르세요.

❶ Visit us (when / so) you have time.
네가 시간 있을 때 우리를 방문해.

❷ I am sick, (so / because) I can't go to school.
나는 아파서 학교에 갈 수 없다.

❸ She wears glasses (so / when) she reads a book.
그녀는 책을 읽을 때 안경을 쓴다.

❹ I like watermelons (because / so) they are sweet.
나는 수박이 달기 때문에 수박을 좋아한다.

❺ It is Friday today, (when / so) I feel happy.
오늘은 금요일이라서 나는 기분이 좋다.

❻ (Because / When) I missed the bus, I was late for school.
나는 버스를 놓쳤기 때문에 학교에 늦었다.

B 우리말에 맞게 보기에서 알맞은 것을 골라 쓰세요.

보기   because   so   when

❶ 나는 피곤해서 일찍 잠자리에 들었다.

→ I was tired, _____so_____ I went to bed early.

❷ Jason(제이슨)이 어렸을 때 그는 축구하는 것을 좋아했다.

→ _____ Jason was young, he liked to play soccer.

❸ 비가 와서 우리는 밖에 나가지 않았다.

→ We didn't go out _____ it rained.

❹ 그 영화는 재미있어서 인기가 있다.

→ The movie is interesting, _____ it is popular.

C 다음 밑줄 친 부분이 나타내는 내용이 무엇인지 고르세요.

❶ Ben drank water because <u>he was thirsty</u>. ☑ 원인 ☐ 결과

❷ She is kind, so <u>everyone likes her</u>. ☐ 원인 ☐ 결과

❸ <u>I can't go to the movies</u> because I'm busy. ☐ 원인 ☐ 결과

❹ <u>Lily got up early</u>, so she was sleepy. ☐ 원인 ☐ 결과

❺ Because <u>I didn't eat lunch</u>, I was so hungry. ☐ 원인 ☐ 결과

D 다음 문장에서 주어진 단어가 들어갈 알맞은 위치를 고르세요.

❶ so ① Nate ② was sick, ③ he went ④ to the doctor.

❷ because ① I closed ② the window ③ it was ④ cold.

❸ when Kelly ① learned piano ② she was ③ 7 years old.

E 의미상 자연스러운 문장이 되도록 빈칸에 들어갈 알맞은 말을 골라 그 기호를 쓰세요.

보기	ⓐ because they can break	ⓑ when they heard the news
	ⓒ so I didn't play soccer	ⓓ When Lucy was in Italy
	ⓔ Because he told lies	

❶ They were very happy _____ⓑ_____.

❷ _____, his mom was angry.

❸ It was very hot, _____.

❹ _____, she visited her aunt.

❺ Be careful with the cups _____.

A 우리말에 맞게 주어진 말을 바르게 배열하세요.

❶ 그는 경기에 져서 슬펐다. (the game / he / because / lost)

→ He was sad *because he lost the game*   .

❷ Henry(헨리)는 재미있어서 인기가 있다. (he / popular / so / is)

→ Henry is funny,   .

❸ 네가 길을 건널 때 조심해라. (the street / when / cross / you)

→ Be careful   .

❹ 그 영화는 지루해서 나는 그것을 좋아하지 않는다. (is / boring / the movie / because)

→   , I don't like it.

B 우리말에 맞게 주어진 단어를 이용하여 문장을 완성하세요.
(필요하면 단어를 추가하거나 형태를 바꾸세요.)

❶ 내가 어렸을 때 내 머리는 곱슬머리였다. (be, young)

→ My hair was curly *when I was young*   .

❷ 나는 배가 아파서 병원에 갔다. (go, the hospital, to)

→ I had a stomachache,   .

❸ 나의 부모님이 바쁘실 때, 나는 설거지를 한다. (parents, busy, be)

→   , I do the dishes.

❹ 내 자전거가 오래돼서 나는 새것을 샀다. (buy, a new one)

→ My bicycle was old,   .

❺ 그는 너무 어리기 때문에 운전을 할 수 없다. (be, too, young)

→   , he can't drive.

[01~02] 다음 빈칸에 들어갈 말로 알맞은 것을 고르세요.

01

I will take the bus _____ the subway.
나는 버스나 지하철을 탈 것이다.

① because   ② but

③ so   ④ or

⑤ when

02

He can't help us _____ he's very busy.
그는 매우 바쁘기 때문에 우리를 도와줄 수 없다.

① so   ② but

③ and   ④ or

⑤ because

[03~05] 다음 문장에서 주어진 단어가 들어갈 알맞은 위치를 고르세요.

03 (and)

They ① traveled to ② Germany, ③ France, ④ Spain.

04 (because)

We ① ordered ② a pizza ③ we were ④ hungry.

05 (or)

You ① can go ② tonight ③ tomorrow ④ morning.

[06~09] 우리말에 맞게 빈칸에 알맞은 말을 쓰세요.

06 내 고양이는 작고 귀엽다.

→ My cat is small _____ cute.

07 우리는 박물관에 가거나 쇼핑몰에 갈 수 있다.

→ We can go to the museum, _____ we can go to the mall.

08 저것은 오래된 차이지만, 무척 멋지다.

→ That is an old car, _____ it's very cool.

09 파스타가 너무 짜서 나는 그것을 먹고 싶지 않다.

→ The pasta is too salty, _____ I don't want to eat it.

10 다음 밑줄 친 부분이 <u>어색한</u> 것을 고르세요.

① She is smart <u>and</u> kind.

② I was very sad, <u>but</u> I cried.

③ Do you need a fork <u>or</u> a spoon?

④ <u>When</u> it rains, you must drive carefully.

⑤ He wants to visit Korea <u>because</u> he likes Korean food.

[11~12] 다음 빈칸에 들어갈 말이 바르게 짝지어진 것을 고르세요.

11
· It is sunny _____ cold.
· I didn't sleep well _____ the noise was too loud.

① or - so　　② but - so
③ or - because　④ but - because
⑤ and - but

12
· Harry wants to be a teacher _____ a doctor.
· _____ it snows, we often make a snowman.

① or – So　　② and - When
③ or – When　④ and – So
⑤ but - And

[13~15] 다음 ( ) 안에서 알맞은 것을 고르세요.

13 This box is small but (heavy / gift).

14 I'll play the guitar (but / or) the drums.

15 (When / Because) she was ten, her family moved to Gwangju.

[16~18] 다음 보기에서 알맞은 접속사를 골라 빈칸에 쓰세요.

<보기>　because　so　but

16 I bought some flowers _____ today is Ann's birthday.

17 I want to go out, _____ Thomas wants to stay home.

18 It is rainy, _____ I'll take my umbrella.

[19~20] 우리말에 맞게 밑줄 친 부분을 바르게 고쳐 쓰세요.

19 This cellphone looks very nice, <u>or</u> I don't need it.
이 휴대전화는 멋져 보이지만 나는 그것이 필요하지 않다.

→ _____

20 Julie has a cold, <u>because</u> she went to the doctor.
줄리는 감기에 걸려서 병원에 갔다.

→ _____

A 다음 ( ) 안에서 알맞은 것을 고르세요.

❶ I bought new pants (**and** / but) shoes.

❷ Turtles live (long / longer) than ants.

❸ This movie is long (but / or) interesting.

❹ (Because / When) I met her, she had long hair.

❺ She is the (greater / greatest) writer in the world.

B 우리말에 맞게 보기의 단어를 이용하여 문장을 완성하세요.
(필요하면 단어를 추가하거나 단어의 형태를 바꾸세요.)

보기	cute dangerous than because so but the

❶ I turned on the heater ___because___ it was cold.

It was cold, ___so___ I turned on the heater.

추워서 나는 히터를 켰다.

❷ _____ the movie was very sad, we cried.

The movie was very sad, _____ we cried.

그 영화가 매우 슬퍼서 우리는 울었다.

❸ This bridge looks _____ _____ _____

that bridge.

이 다리가 저 다리보다 더 위험해 보인다.

❹ The penguin was _____ _____ animal in the zoo.

그 펭귄은 그 동물원에서 가장 귀여운 동물이었다.

❺ Penguins have wings, _____ they can't fly.

펭귄은 날개가 있지만 날 수 없다.

FINAL TEST 1회

[01~04] 다음 보기에서 알맞은 것을 골라 문장을 완성하세요.

> <보기> my me happily hot

01 Nancy helped _____ yesterday.

02 Joshua is _____ younger brother.

03 The singer sang _____ on the stage.

04 He loves _____ weather.

05 다음 빈칸에 들어갈 말이 바르게 짝지어진 것을 고르세요.

> · She drank coffee _____ the test.
>
> · Kate played the piano _____ 2 p.m.

① for - in   ② for - on
③ before - at   ④ to - at
⑤ before - on

[06~07] 다음 밑줄 친 부분이 <u>잘못된</u> 것을 <u>두 개</u> 고르세요.

06 ① Jacob <u>ate</u> cheesecake yesterday.
② It <u>will is</u> cold next week.
③ <u>Is</u> the movie famous?
④ Daniel <u>is waitting</u> for the bus.
⑤ My dad <u>brushes</u> his teeth every day.

07 ① Sam <u>studies</u> history at school.
② We <u>will arrive</u> in Seoul at 3.
③ My sister <u>isn't</u> on the bus.
④ Nora <u>is going to goes</u> to school.
⑤ He <u>droped</u> a bottle on the floor.

[08~09] 우리말에 맞게 주어진 단어를 이용하여 문장을 완성하세요.

08 They _____ _____ letters now. (write)

그들은 지금 편지를 쓰고 있다.

09 Mike _____ his hat on the sofa yesterday. (put)

마이크는 어제 소파 위에 그의 모자를 놓았다.

[10~11] 다음 밑줄 친 부분의 의미가 다른 것을 고르세요.

10 ① You <u>may</u> sit here.

② It <u>may</u> rain tomorrow.

③ You <u>may</u> drink the water.

④ You <u>may</u> use my eraser.

⑤ <u>May</u> I go to the bathroom now?

11 ① Kangaroos <u>can</u> jump high.

② <u>Can</u> you close the door?

③ Clare <u>can</u> speak Korean.

④ We <u>can</u> play the violin.

⑤ <u>Can</u> your sister ride a bike?

[12~13] 우리말에 맞게 주어진 단어를 이용하여 문장을 완성하세요.

12 Amy(에이미)는 내일 그의 생일 파티에 가지 않을지도 모른다. (go)

→ Amy _____ _____

_____ to his birthday

party tomorrow.

13 너는 안전벨트를 매야 한다. (wear)

→ You _____ _____

a seat belt.

[14~16] 다음 밑줄 친 부분을 바르게 고쳐 쓰세요.

14 Jack <u>must not uses</u> his cellphone in class.

→ _____

15 <u>Can borrow I</u> your eraser?

→ _____

16 Sally <u>shoulds finish</u> her homework.

→ _____

[17~20] 다음 ( ) 안에서 알맞은 것을 고르세요.

17 They enjoy (riding / to ride) bikes.

18 My family plans (to go / going) to Italy next year.

19 Ben wants (to be / being) a pianist.

20 The man practiced (to swim / swimming) in the sea.

21 다음 밑줄 친 부분이 올바른 것을 고르세요.

① <u>Play</u> basketball is my hobby.
② Getting up early <u>are</u> not easy.
③ How about <u>go</u> outside?
④ I like <u>running</u> in the park.
⑤ They finished <u>do</u> the laundry.

[22~23] 다음 빈칸에 들어갈 말로 알맞은 것을 고르세요.

22

> Our house is _____ than that house.

① large   ② larger
③ largest   ④ the largest
⑤ more large

23

> Sera is the _____ girl in the class.

① beautiful
② beautifuler
③ beautifulest
④ more beautiful
⑤ most beautiful

24 다음 빈칸에 들어갈 말이 <u>다른</u> 것을 고르세요.

① Tom swims better _____ her.
② My brother is heavier _____ me.
③ Eric is the smartest child _____ his family.
④ Cheetahs are faster _____ turtles.
⑤ The bus moves more slowly _____ the airplane.

[25~27] 다음 표를 보고 주어진 단어를 이용하여 문장을 완성하시오.

월	기온
March	10℃
August	32℃
December	-8℃

25 December is _____ _____ of the three months. (cold)

26 August is _____ _____ of the three months. (hot)

27 March is _____

_____ December.

(warm)

[28~30] 다음 보기에서 알맞은 접속사를 골라 문장을 완성하세요.

<보기> but   or   so   because

28 Which color does she like, yellow _____ green?

29 Rachael was happy _____ she won the game.

30 My grandma is old, _____ she is healthy.

틀린 문제가 어느 챕터에 해당하는지 확인하고, 복습해보세요.

정답과 해설 **p.22**

1	2	3	4	5	6	7	8	9	10
Ch1	Ch1	Ch1	Ch1	Ch1	Ch2	Ch2	Ch2	Ch2	Ch3
11	**12**	**13**	**14**	**15**	**16**	**17**	**18**	**19**	**20**
Ch3	Ch3	Ch3	Ch3	Ch3	Ch3	Ch4	Ch4	Ch4	Ch4
21	**22**	**23**	**24**	**25**	**26**	**27**	**28**	**29**	**30**
Ch4	Ch5	Ch5	Ch5	Ch5	Ch5	Ch5	Ch6	Ch6	Ch6

FINAL TEST 2회

[01~02] 다음 밑줄 친 부분이 잘못된 것을 두 개 고르세요.

01 ① Kate lives in <u>Seoul</u>.
　　② My mom needs <u>salt</u>.
　　③ Mr. Smith teaches <u>his</u>.
　　④ Sam has two <u>class</u> today.
　　⑤ Ben plays <u>baseball</u> after school.

02 ① This dress is <u>beautiful</u>.
　　② The test was not <u>easily</u>.
　　③ It is an <u>interesting</u> story.
　　④ She is a <u>quietly</u> neighbor.
　　⑤ My sister ate <u>sweet</u> candies.

03 다음 빈칸에 들어갈 말이 <u>다른</u> 것을 고르세요.
　　① It snowed _____ Christmas Day.
　　② They go hiking _____ Sundays.
　　③ Jane's birthday is _____ March 19th.
　　④ Tina has a piano lesson _____ Friday.
　　⑤ The concert starts _____ 10 o'clock.

04 다음 빈칸에 들어갈 말로 바르게 짝지어진 것을 고르세요.

> · Tom _____ his teeth every day.
> · The kid can _____ the drums.

　　① is - play
　　② does - playing
　　③ brushes - play
　　④ brush - plays
　　⑤ brushes - plays

[05~08] 우리말에 맞게 주어진 단어를 이용하여 문장을 완성하세요.

05 The store always _____ fresh vegetables. (sell)
그 가게는 항상 신선한 채소를 판다.

06 Sue _____ a letter yesterday. (write)
수는 어제 편지를 썼다.

07 They _____ _____ dinner at home tonight. (have)
그들은 오늘밤 집에서 저녁을 먹지 않을 것이다.

08 _____ Nancy _____ a shower now? (take)
낸시는 지금 샤워를 하고 있니?

09 다음 밑줄 친 부분의 쓰임이 다른 것을 고르세요.

① I am going to keep a diary.

② I am going to the market.

③ I am going to play the guitar.

④ I am going to swim in the river.

⑤ I am going to watch a movie.

10 다음 빈칸에 들어갈 말로 알맞지 않은 것을 고르세요.

Lena will meet her friends _____.

① this afternoon

② tomorrow

③ next weekend

④ on Friday

⑤ two days ago

[11~12] 다음 밑줄 친 부분이 올바른 것을 고르세요.

11 ① Kate not can run fast.

② Paul must finds the answer.

③ The girl shoud wears a helmet.

④ Sean cans carry the chair.

⑤ He must not be late for work.

12 ① She musts leave now.

② You can close the window?

③ My aunt can drive a car.

④ They not must go inside.

⑤ Clara may meets her.

[13~15] 우리말에 맞게 보기에서 알맞은 것을 골라 빈칸을 완성하세요.

<보기> may   should   can

13 너는 치과에 가야 한다.

→ You _____ go to the dentist.

14 Justin(저스틴)은 한국어를 할 수 있다.

→ Justin _____ speak Koeran.

15 내일 비가 올지도 모른다.

→ It _____ rain tomorrow.

[16~17] 다음 중 동명사를 만드는 방법이 다른 것을 두 개 고르세요.

16 ① stop   ② drive

③ use   ④ make

⑤ plan

17 ① tie   ② go
③ lie   ④ eat
⑤ draw

18 다음 중 밑줄 친 부분의 쓰임이 나머지와 다른 것을 고르세요.

① <u>Watching</u> movies is very fun.
② <u>Telling</u> a lie is not good.
③ I finished <u>doing</u> my homework.
④ <u>Climbing</u> mountains is my hobby.
⑤ <u>Eating</u> vegetables is healthy.

[19~20] 다음 밑줄 친 부분을 바르게 고친 것을 고르세요.

19

He plans <u>leaving</u> Korea.

① leave   ② leaves
③ left   ④ to leaving
⑤ to leave

20

Joshua enjoys <u>to read</u> comic books.

① read   ② reads
③ to reading ④ reading
⑤ for reading

[21~23] 다음 보기와 같은 관계가 되도록 빈칸에 알맞은 말을 쓰세요.

<보기>   bad - worse - worst

21 good - _____ - _____

22 easy - _____ - _____

23 beautiful - _____
- _____

[24~25] 다음 빈칸에 들어갈 말로 알맞은 것을 고르세요.

24

The watermelon is _____ than the orange.

① fresh   ② bigger
③ smallest   ④ expensive
⑤ heaviest

25

The boy is the _____ of all the students.

① shorter   ② tall
③ fast   ④ strongest
⑤ more famous

[26~29] 다음 (   ) 안에서 알맞은 것을 고르세요.

26 Did you go to the library or
(go / going) home?

27 (So / When) it's cold, I like to
stay at home.

28 The girls are wearing hats (and
/ but) glasses.

29 Brian was late for class,
(so / because) he ran to school.

30 다음 빈칸에 공통으로 들어갈 말로 알맞은
것을 고르세요.

> · He likes soccer, _____
> I don't like it.
>
> · This book is thick _____
> interesting.

① or   ② so
③ but   ④ because
⑤ when

틀린 문제가 어느 챕터에 해당하는지 확인하고, 복습해보세요.   정답과 해설 p.23

1	2	3	4	5	6	7	8	9	10
Ch1	Ch1	Ch1	Ch1	Ch2	Ch2	Ch2	Ch2	Ch2	Ch2
11	**12**	**13**	**14**	**15**	**16**	**17**	**18**	**19**	**20**
Ch3	Ch3	Ch3	Ch3	Ch3	Ch4	Ch4	Ch4	Ch4	Ch4
21	**22**	**23**	**24**	**25**	**26**	**27**	**28**	**29**	**30**
Ch5	Ch5	Ch5	Ch5	Ch5	Ch6	Ch6	Ch6	Ch6	Ch6

+ 일반동사의 3인칭 단수 현재형 → CHAPTER 2 UNIT 1

대부분의 동사	+ -s	like → likes	eat → eats
-s, -sh, -ch, -x, -o로 끝나는 동사	+ -es	pass → passes watch → watches go → goes	wash → washes mix → mixes do → does
'자음+y'로 끝나는 동사	y → ies	cry → cries	study → studies
'모음+y'로 끝나는 동사	+ -s	play → plays buy → buys	say → says enjoy → enjoys
have	has	have → has	

+ 동사의 -ing형 → CHAPTER 2 UNIT 3, CHAPTER 4 UNIT 2

대부분의 동사	동사원형 + -ing	go → going play → playing	eat → eating sleep → sleeping
-e로 끝나는 동사	e를 없애고 + -ing	come → coming make → making	dance → dancing write → writing
-ie로 끝나는 동사	ie를 y로 바꾸고 + -ing	lie → lying	die → dying
'모음 1개+자음 1개'로 끝나는 동사	마지막 자음 한 번 더 쓰고 + -ing	sit → sitting run → running swim → swimming	cut → cutting win → winning

+ 일반동사의 과거형 (규칙) → CHAPTER 2 UNIT 2

대부분의 동사	+ -ed	watched played	talked started	walked laughed
-e로 끝나는 동사	+ -d	liked lived	arrived moved	closed smiled
'자음+y'로 끝나는 동사	y를 i로 고치고 + -ed	study → studied cry → cried		worry → worried try → tried
'모음 1개+자음 1개'로 끝나는 동사	마지막 자음 한 번 더 쓰고 + -ed	stopped hugged	planned dropped	

동사원형	과거형
become 되다	became
begin 시작하다	began
bite 물다	bit
blow 불다	blew
break 깨뜨리다	broke
bring 가져오다	brought
build 짓다, 만들다	built
buy 사다	bought
catch 잡다	caught
choose 고르다	chose
come 오다	came
cut 자르다	cut
do 하다	did
draw 그리다	drew
drink 마시다	drank
drive 운전하다	drove
eat 먹다	ate
fall 떨어지다	fell
feel 느끼다	felt
find 찾다	found
fly 날다	flew
forget 잊다	forgot
go 가다	went
get 얻다, 받다	got
give 주다	gave
grow 자라다; 키우다	grew
have 가지고 있다; 먹다	had
hear 듣다	heard
hide 숨다	hid
hit 치다, 때리다	hit
hold 잡다, 들고 있다	held
hurt 다치다	hurt
keep 계속하다	kept

동사원형	과거형
know 알다	knew
leave 떠나다	left
lose 잃어버리다; 지다	lost
lend 빌려주다	lent
make 만들다	made
meet 만나다	met
pay (돈을) 내다	paid
put 놓다, 두다	put
read 읽다	read [red]
ride 타다	rode
run 달리다	ran
say 말하다	said
see 보다	saw
sell 팔다	sold
send 보내다	sent
shine 빛나다	shone / shined
sing 노래하다	sang
sit 앉다	sat
sleep 자다	slept
speak 말하다	spoke
spend (돈, 시간을) 쓰다	spent
stand 서다	stood
swim 수영하다	swam
take 가져가다	took
teach 가르치다	taught
tell 말하다	told
think 생각하다	thought
throw 던지다	threw
understand 이해하다	understood
wake 잠이 깨다	woke
wear 입다	wore
win 이기다	won
write 쓰다	wrote

MEMO

MEMO

1 구문
판매 1위 '천일문' 콘텐츠를 활용하여 정확하고 다양한 구문 학습

끊어읽기 해석하기 문장 구조 분석 해설·해석 제공 단어 스크램블링 영작하기

2 문법·서술형
쎄듀의 모든 문법 문항을 활용하여 내신까지 해결하는 정교한 문법 유형 제공

객관식과 주관식의 결합 문법 포인트별 학습 보기를 활용한 집합 문항 내신대비 서술형 어법+서술형 문제

3 어휘
초·중·고·공무원까지 방대한 어휘량을 제공하며 오프라인 TEST 인쇄도 가능

영단어 카드 학습 단어 ↔ 뜻 유형 예문 활용 유형 단어 매칭 게임

4 선생님 보유 문항 이용

Online Test OMR Test

믿고 보는 영어전문 출판사 쎄듀에서 만든
초등 ELT Oh! My Series

전체 시리즈 워크북 제공

Oh! My
PHONICS & SPEAKING & GRAMMAR

◆ Oh! My 시리즈는 본문 전체가 영어로 구성된 ELT 도서입니다.　　◆ 세이펜이 적용된 도서로, 홈스쿨링 학습이 가능합니다.

My Oh! Phonics
오! 마이 파닉스

1 첫 영어 시작을 위한
유·초등 파닉스 학습서 (레벨 1~4)

2 기초 알파벳부터
단/장/이중모음/이중자음 완성

3 초코언니 무료 유튜브 강의 제공

Flashcards

Oh! My SPEAKING
오! 마이 스피킹

1 말하기 중심으로 어휘,
문법까지 학습 가능 (레벨1~6)

2 주요 어휘와 문장 구조가
반복되는 학습

3 초코언니 무료 유튜브 강의 제공

Flashcards

New

My Oh! Grammar
오! 마이 그래머

1 첫 문법 시작을 위한
초등 저학년 기초 문법서 (레벨1~3)

2 흥미로운 주제와 상황을 통해
자연스러운 문법 규칙 학습

3 초코언니 무료 우리말 음성 강의 제공

파닉스 규칙을 배우고 스피킹과 문법 학습으로 이어가는 **유초등 영어의 첫 걸음!**

쎄듀 오! 마이 시리즈로 영어 자신감 UP↑ 탄탄한 초등 영어 습관을 만들어보세요!

쎄듀북닷컴(www.cedubook.com)에서 부가 자료를 무료로 다운로드할 수 있습니다.

쎄듀

What's

Grammar +Plus

WORKBOOK

3

쎄듀

What's
Grammar⁺Plus

WORKBOOK

3

UNIT 1   명사, 대명사

● 다음 문장에서 명사를 <u>모두</u> 찾아 동그라미 한 다음, 밑줄 친 부분을 알맞은 대명사로 바꿔 쓰세요.

01 His (son) is a (doctor).   →   He

02 <u>Lisa and Dan</u> are singers.   →   _____

03 Sue loves <u>her parents</u>.   →   _____

04 Peter dropped <u>the plate</u>.   →   _____

05 John makes <u>cookies</u>.   →   _____

06 <u>This backpack</u> is yours.   →   _____

07 <u>The doughnuts</u> are delicious.   →   _____

08 <u>Mary</u> is my sister.   →   _____

09 <u>You and Ted</u> like basketball.   →   _____

10 <u>Your father</u> is a farmer.   →   _____

11 Where is <u>Sally's album</u>?   →   _____

12 <u>The boys</u> are my classmates.   →   _____

13 We saw <u>the bird</u> in the sky.   →   _____

14 Emily often wears <u>sunglasses</u>.   →   _____

15 <u>The train</u> arrived in Seoul.   →   _____

⬤ 다음 빈칸에 들어갈 말로 알맞은 것을 고른 다음, 문장을 완성하세요.

01 The boy _____drinks_____ milk every day.
☑ drinks   ☐ handsome   ☐ drinking

02 There isn't _____ juice in the bottle.
☐ very   ☐ much   ☐ highly

03 My father _____ a firefighter.
☐ good   ☐ is   ☐ bravely

04 Becky sings _____ on the stage.
☐ has   ☐ happy   ☐ beautifully

05 The books are _____.
☐ sadly   ☐ thickly   ☐ interesting

06 She _____ speak Chinese.
☐ can   ☐ is   ☐ studied

07 The airplane flies _____ high.
☐ very   ☐ runs   ☐ light

08 They are _____ fruits.
☐ hardly   ☐ fresh   ☐ do

09 Lisa reads books _____ slowly.
☐ is   ☐ too   ☐ hard

10 They did not _____ tennis.
☐ play   ☐ are   ☐ good

11 He wakes up _____ in the morning.
☐ nice   ☐ easy   ☐ early

● 우리말에 맞게 보기에서 알맞은 전치사를 고른 다음, 주어진 단어를 이용하여 문장을 완성하세요.

| 보기 | in | on | about | in front of | at | for | to | behind |

01 The tree is _____in front of my house_____ . (my house)
그 나무는 나의 집 앞에 있다.

02 My birthday is _____ . (May 26th)
내 생일은 5월 26일이다.

03 I drink coffee _____ . (the morning)
나는 아침에 커피를 마신다.

04 Mary finished her homework _____ . (7 o'clock)
메리는 7시에 숙제를 끝냈다.

05 Brian and I play badminton _____ . (Saturdays)
브라이언과 나는 토요일마다 배드민턴을 친다.

06 She is talking _____ . (the game)
그녀는 그 경기에 관하여 이야기하고 있다.

07 He studied math _____ . (an hour)
그는 한 시간 동안 수학을 공부했다.

08 They went _____ yesterday. (the hospital)
그들은 어제 병원에 갔다.

09 There is a party _____ . (Christmas Day)
크리스마스 날에 파티가 있다.

10 Jenny put the doll _____ . (the vase)
제니는 꽃병 뒤에 그 인형을 놓았다.

⚫ 우리말에 맞게 주어진 단어를 이용하여 문장을 완성하세요.
(필요하면 단어를 추가하거나 형태를 바꾸세요.)

01 그것은 좋은 영화였다. (be, a, movie, good)

→   It was a good movie.

02 그는 그의 할아버지를 종종 방문한다. (often, visit, grandfather)

→ _____

03 John(존)은 절대 학교에 지각하지 않는다. (be, never, school, late for)

→ _____

04 Mary(메리)는 그녀의 여동생 옆에 있다. (be, sister)

→ _____

05 그 건물은 은행과 병원 사이에 있다. (the hospital, the bank, be, the building)

→ _____

06 그 학생들은 조용하게 말한다. (speak, the students, quiet)

→ _____

07 내 컴퓨터는 정말 비싸다. (computer, expensive, really, be)

→ _____

08 그 나무는 많은 나뭇잎들을 가지고 있다. (have, leaf, many, the tree)

→ _____

09 그 귀여운 개는 그녀의 것이다. (be, the, dog, cute, she)

→ _____

10 이 새 의자는 너를 위한 것이다. (you, this, new, be, chair)

→ _____

UNIT 1 　현재시제

● 다음 주어진 동사를 이용하여 현재시제 문장으로 쓰세요.

01 They _____are_____ in the market now. (be)

02 My dad _____ _____ cats. (like, not)

03 Mary _____ to the cafe on Sundays. (go)

04 Dan _____ science very hard. (study)

05 He _____ breakfast at 8. (have)

06 Jane and I _____ hungry. (be)

07 Emily _____ milk and butter. (mix)

08 _____ the lamp next to the chair? (be)

09 Mr. Smith _____ his shoes. (brush)

10 Her daughters _____ in Busan. (live)

11 My sister _____ milk every day. (drink)

12 My cousin _____ the dog. (walk)

13 Yuna _____ every winter. (skate)

14 My mom _____ the newspaper. (read)

15 Matt _____ his homework before lunch. (do)

◗ 다음 밑줄 친 부분을 바르게 고쳐 쓰세요.

01   Wendy <u>were</u> a great singer.   →   _____was_____
웬디는 훌륭한 가수였다.

02   I <u>readed</u> the comic book two days ago.   →   _____
나는 이틀 전에 만화책을 읽었다.

03   James <u>isn't</u> at school yesterday.   →   _____
제임스는 어제 학교에 없었다.

04   My family <u>planed</u> a birthday party for me.   →   _____
나의 가족은 나를 위해 생일 파티를 계획했다.

05   Kate <u>comes</u> home late last night.   →   _____
케이트는 어젯밤 늦게 집에 왔다.

06   He <u>putted</u> oranges on the table.   →   _____
그는 테이블 위에 오렌지들을 놓았다.

07   Clara <u>rided</u> her bike this morning.   →   _____
클라라는 오늘 아침에 자전거를 탔다.

08   My mom <u>maked</u> delicious cakes.   →   _____
내 엄마는 맛있는 케이크들을 만드셨다.

09   They <u>are</u> doctors 5 years ago.   →   _____
그들은 5년 전에 의사였다.

10   <u>Does</u> Sally move to the U.S. in 2018?   →   _____
샐리는 2018년에 미국으로 이사를 갔니?

11   The movie <u>startd</u> 10 minutes ago.   →   _____
그 영화는 10분 전에 시작했다.

● 우리말에 맞게 주어진 단어를 이용하여 문장을 완성하세요.

01 나는 아이스크림을 먹을 것이다. (eat)

→ I ___am___ ___going___ ___to___ ___eat___ ice cream.

02 그 남자아이는 치과에 가지 않을 것이다. (go)

→ The boy _____ _____ to the dentist.

03 내 남동생은 빵을 만들고 있다. (make)

→ My brother _____ _____ bread.

04 너와 루크는 편지를 쓰고 있니? (write)

→ _____ you and Luke _____ letters?

05 그 버스는 두 시 정각에 도착할 예정이다. (arrive)

→ The bus _____ _____ at 2 o'clock.

06 그들은 수영장에서 수영을 할 것이다. (swim)

→ They _____ _____ _____ _____ in the pool.

07 내 친구와 나는 소파 위에 앉아 있다. (sit)

→ My friend and I _____ _____ on the sofa.

08 엠마는 케이크를 자를 것이다. (cut)

→ Emma _____ _____ _____ the cake.

09 그는 좋은 선생님이 될 것이다. (be)

→ He _____ _____ a good teacher.

10 우리는 도서관에서 만나지 않을 것이다. (meet)

→ We _____ _____ _____ _____ at the library.

● 우리말에 맞게 주어진 단어를 이용하여 문장을 완성하세요.
  (필요하면 단어를 추가하거나 형태를 바꾸세요.)

01 Amy(에이미)는 손목시계를 고친다. (the watch, fix)

→ _____Amy fixes the watch._____

02 그는 매일 아침 조깅을 한다. (go, jogging, every morning)

→ _____

03 그녀는 차가운 물을 마실 것이다. (be, drink, going to, cold water)

→ _____

04 말들이 경주에서 달리고 있다. (run, horses)

→ _____ in a race.

05 나는 어젯밤에 일찍 잠자리에 들지 않았다. (go, not, to bed, last night, early)

→ _____

06 내 엄마는 어제 목걸이를 구입하셨다. (buy, mom, a necklace, yesterday)

→ _____

07 그 강은 매우 아름다웠다. (be, the river, beautiful, very)

→ _____

08 Nancy(낸시)는 월요일마다 바이올린 레슨이 있다. (a violin lesson, have, on Mondays)

→ _____

09 Bill(빌)은 그녀를 작년에 만났다. (meet, last year)

→ _____

10 Cathy(캐시)는 내년에 6학년이 될 예정이니? (be, will, in the sixth grade, next year)

→ _____

CHAPTER 3　조동사

UNIT 1　조동사 can, may

● 다음 ( ) 안에서 알맞은 것을 고르세요.

01 Ellen ((can) / cans) ((pass) / passes) the test.　엘렌은 그 시험을 통과할 수 있다.

02 She (may / mays) (be / is) a doctor.　그녀는 의사일지도 모른다.

03 You (not may / may not) push the button.　너는 그 버튼을 누르면 안 된다.

04 (Can move you / Can you move) this table?　이 탁자 좀 옮겨주실래요?

05 You (may / mays) (stay / stays) here.　너는 여기에 머물러도 된다.

06 The dog (can / may) swim in the water.　그 개는 물에서 수영할 수 있다.

07 Jackson (can sing not / cannot sing) well.　잭슨은 노래를 잘 못 부른다.

08 This (may not / mayn't) (be / is) new.　이것은 새것이 아닐지도 모른다.

09 It (may / mays) (rain / rains) tomorrow.　내일 비가 올지도 모른다.

10 (May I / Can you) help you?　제가 도와 드릴까요?

11 You (not can't / cannot) run in the library.　도서관에서 뛰면 안 된다.

12 He (may / mays) (go / goes) to bed early.　그는 일찍 잠자리에 들지도 모른다.

13 Nick (can / cans) (wear / wears) my watch.　닉은 내 손목시계를 차도 된다.

14 You (may not / not may) turn on the light.　너는 불을 켜면 안 된다.

15 Can you (bring / brings) a camera tomorrow?　내일 카메라 좀 가져와 주실래요?

◗ 우리말에 맞게 보기에서 알맞은 조동사를 고르고, 주어진 단어를 이용하여 문장을 완성하세요.

| 보기 | must | must not |

01 We ＿＿＿＿＿ *must not be* ＿＿＿＿＿ late for school. (be)
우리는 학교에 늦으면 안 된다.

02 You ＿＿＿＿＿＿＿＿＿＿ at the red light. (stop)
너는 빨간불에서 멈춰야 한다.

03 You ＿＿＿＿＿＿＿＿＿＿ the test. (fail)
너는 그 시험에 떨어지면 안 된다.

04 The kids ＿＿＿＿＿＿＿＿＿＿ in line. (wait)
그 아이들은 줄을 서서 기다려야 한다.

| 보기 | should | should not |

05 She ＿＿＿＿＿＿＿＿＿＿ the door. (open)
그녀는 그 문을 열면 안 된다.

06 We ＿＿＿＿＿＿＿＿＿＿ the school rules. (follow)
우리는 학교 규칙을 따라야 한다.

07 You ＿＿＿＿＿＿＿＿＿＿ water. (waste)
너는 물을 낭비하면 안 된다.

08 He ＿＿＿＿＿＿＿＿＿＿ here. (park)
그는 여기에 주차하면 안 된다.

09 We ＿＿＿＿＿＿＿＿＿＿ an umbrella today. (take)
우리는 오늘 우산을 가져가는 게 좋겠다.

⬤ 우리말에 맞게 주어진 단어를 이용하여 문장을 완성하세요.
(필요하면 단어를 추가하세요.)

01 Victoria(빅토리아)는 바이올린을 연주할 수 없다. (play, the violin)

→ _____ Victoria can't play the violin. _____

02 그들은 부산에서 여름을 보낼지도 몰라. (summer, spend)

→ _____ in Busan.

03 너는 점심 식사 후에 아이스크림을 먹어도 돼. (ice cream, eat)

→ _____ after lunch.

04 우리는 식사 전에 우리의 손을 씻어야 한다. (wash, hands)

→ _____ before meals.

05 Ted(테드)는 다음 주에 그 책들을 사야 한다. (buy, the books)

→ _____ next week.

06 내 삼촌은 파스타를 만들 수 있다. (uncle, pasta, make)

→ _____

07 너는 거짓말을 하면 안 된다. (lies, tell, must)

→ _____

08 Sue(수)는 내 생일파티에 오지 않을지도 모른다. (come)

→ _____ to my birthday party.

09 그녀는 그녀의 숙제를 끝내야 한다. (finish, homework)

→ _____

10 불 좀 꺼 주실래요? (turn off, the light)

→ _____

UNIT 1 to부정사

● 우리말에 맞게 주어진 단어를 이용하여 문장을 완성하세요.

01 Sally is learning _____to_____ _____drive_____ a car. (drive)
샐리는 차를 운전하는 것을 배우고 있다.

02 Sue wants _____ _____ camping. (go)
수는 캠핑 가기를 원한다.

03 He hopes _____ _____ a pilot. (be)
그는 비행기 조종사가 되기를 원한다.

04 They love _____ _____ the stars. (see)
그들은 별들을 보는 것을 아주 좋아한다.

05 We hope _____ _____ your friend. (meet)
우리는 네 친구를 만나기를 바란다.

06 Jeremy wants _____ _____ his car. (sell)
제레미는 그의 차를 팔기를 원한다.

07 My family plans _____ _____ a house. (build)
내 가족은 집을 짓는 것을 계획한다.

08 I like _____ _____ pictures. (draw)
나는 그림을 그리는 것을 좋아한다.

09 The boys learned _____ _____ basketball. (play)
그 남자아이들은 농구를 하는 것을 배웠다.

10 Chris wants _____ _____ his dogs here. (bring)
크리스는 여기에 그의 개들을 데려오기를 원한다.

11 My sister likes _____ _____ jeans. (wear)
내 언니는 청바지를 입는 것을 좋아한다.

● 다음 (   ) 안에서 알맞은 것을 고르세요.

01 (Play / (Playing)) baseball is my hobby.

야구를 하는 것은 내 취미이다.

02 Did you finish (to do / doing) your homework?

너는 네 숙제를 하는 것을 끝냈니?

03 (Drive / Driving) fast is dangerous.

빨리 운전하는 것은 위험하다.

04 Ann doesn't like (swimming / swim).

앤은 수영을 하는 것을 좋아하지 않는다.

05 Let's go (hike / hiking).

등산하러 가자.

06 My father enjoys (to watch / watching) TV.

내 아빠는 TV를 보는 것을 즐기신다.

07 How about (going / go) to the market?

시장에 가는 게 어때?

08 (Eat / Eating) vegetables is good for your health.

채소를 먹는 것은 건강에 좋다.

09 (Cook / Cooking) pasta is very easy.

파스타를 요리하는 것은 매우 쉽다.

10 Sam and I practiced (skating / to skate).

샘과 나는 스케이트를 타는 것을 연습했다.

11 Lucy started (run / running) in the park.

루시는 공원에서 뛰기 시작했다.

우리말에 맞게 주어진 단어를 이용하여 문장을 완성하세요.
(필요하면 단어를 추가하거나 형태를 바꾸세요.)

01 잘 자는 것은 중요하다. (be, sleep, well, important)

→ _____ Sleeping well is important. _____

02 휴식을 취하는 게 어때? (how about, a rest, take)

→ _____

03 우리는 주말마다 낚시를 하러 간다. (fish, go)

→ _____ every weekend.

04 Jane(제인)은 꽃을 심는 것을 즐긴다. (enjoy, plant, flowers)

→ _____

05 그 경기에 이기는 것은 그의 목표이다. (win, be, the game, goal)

→ _____

06 그녀는 체스를 하는 것을 연습했다. (play, practice, chess)

→ _____

07 중국어를 배우는 것은 쉽지 않다. (be, learn, Chinese, easy)

→ _____

08 Kate(케이트)는 내년에 이탈리아에 가기를 바란다. (hope, go, to Italy)

→ _____ next year.

09 Brian(브라이언)은 지하철을 타기를 원한다. (take, want, the subway)

→ _____

10 Jessie(제시)는 저녁을 만드는 것을 계획했다. (plan, make, dinner)

→ _____

UNIT 1 비교급

⬤ 우리말에 맞게 주어진 단어를 이용하여 문장을 완성하세요.

01 Tom runs _____faster_____ _____than_____ Mike. (fast)
톰은 마이크보다 더 빨리 달린다.

02 Tony is _____ _____ Clare. (young)
토니는 클레어보다 더 어리다.

03 This year is _____ _____ last year. (busy)
올해는 작년보다 더 바쁘다.

04 A tiger is _____ _____ a cat. (big)
호랑이는 고양이보다 더 크다.

05 Today is _____ _____ yesterday. (hot)
오늘은 어제보다 더 덥다.

06 This ring is _____ _____ my ring. (nice)
이 반지는 내 반지보다 더 좋다.

07 David sings _____ _____ me. (good)
데이비드는 나보다 노래를 더 잘 부른다.

08 Bill sleeps _____ _____ Jack. (little)
빌은 잭보다 잠을 덜 잔다.

09 This singer is _____ _____ _____ that singer. (famous)
이 가수는 저 가수보다 더 유명하다.

10 This book is _____ _____ that book. (heavy)
이 책은 저 책보다 더 무겁다.

11 Gold is _____ _____ _____ silver. (expensive)
금은 은보다 더 비싸다.

● 우리말에 맞게 보기의 단어를 이용하여 빈칸에 알맞은 형태로 쓰세요.

보기	short	large	difficult	bad	popular
	lazy	delicious	fat	cold	loud

01 Jane is ____the____ ____most____ ____popular____ girl in her class.
제인은 그녀의 반에서 가장 인기 있는 여자아이다.

02 Brian is _____ _____ of all the students.
브라이언은 모든 학생들 중에서 가장 키가 작다.

03 Seoul is _____ _____ city in Korea.
서울은 한국에서 가장 큰 도시이다.

04 It was _____ _____ news of the year.
그것은 그 해의 최악의 뉴스였다.

05 Math is _____ _____ _____ subject of all.
수학은 모든 과목들 중에서 가장 어렵다.

06 This is _____ _____ _____ cake in the bakery.
이것은 그 제과점에서 가장 맛있는 케이크이다.

07 My dog is _____ _____ of the three dogs.
내 개는 세 마리 개들 중 가장 뚱뚱하다.

08 Winter is _____ _____ season of the four seasons.
겨울은 사계절 중에서 가장 추운 계절이다.

09 What is _____ _____ animal in the world?
세상에서 가장 게으른 동물은 무엇이니?

10 Eric is _____ _____ boy in his class.
에릭은 그의 반에서 가장 시끄러운 남자아이다.

Grammar in Sentences

◯ 우리말에 맞게 주어진 단어를 이용하여 문장을 완성하세요.
(필요하면 단어를 추가하거나 형태를 바꾸세요.)

01 Alan(앨런)은 나보다 더 바쁘다. (is, busy, me, than)

→ _____Alan is busier than me._____

02 이것이 그 상점에서 가장 작은 드레스이다. (this, small, dress, is)

→ _____ in the shop.

03 고양이는 강아지보다 더 귀엽다. (are, cute, dogs, than, cats)

→ _____

04 Jane(제인)은 Taylor(테일러)보다 더 힘이 세다. (strong, is, than)

→ _____

05 이 호텔은 그 도시에서 가장 비싸다. (this, is, hotel, expensive)

→ _____ in the city.

06 그는 우리 마을에서 가장 부유한 남자이다. (is, rich, man)

→ _____ in our town.

07 이 파일은 네 개의 파일 중에서 가장 중요하다. (is, important, this, file)

→ _____ of the four.

08 그의 머리카락은 Emily(에밀리)의 것보다 더 길다. (Emily's, than, long, hair, is)

→ _____

09 그녀는 모든 사람들 중에 가장 아름답게 춤을 춘다. (beautiful, dances)

→ _____ of all.

10 여기에서 가장 얇은 휴대전화는 무엇인가요? (thin, is, cellphone, what)

→ _____ here?

CHAPTER 6 접속사

UNIT 1 and, but, or

🔵 우리말에 맞게 보기에서 알맞은 접속사를 골라 문장을 완성하세요.

| 보기 | and | but | or |

01 I have a headache ____and____ a fever.
나는 머리가 아프고 열이 난다.

02 She reads books, _____ he plays the piano.
그녀는 책을 읽고 그는 피아노를 연주한다.

03 They will go to school by bus, _____ I will go there on foot.
그들은 버스를 타고 학교에 갈 것이지만, 나는 걸어서 그곳에 갈 것이다.

04 Which do you want, coffee _____ tea?
너는 커피 또는 차 중 어느 것을 원하니?

05 James was very sad, _____ he didn't cry.
제임스는 매우 슬펐지만 울지 않았다.

06 Is it Wednesday _____ Thursday today?
오늘은 수요일이니 아니면 목요일이니?

07 Amy can speak English _____ Chinese.
에이미는 영어와 중국어를 할 수 있다.

08 You can go to the cafe _____ stay here.
너는 카페에 가거나 여기에 머물러도 된다.

09 Lilly _____ her brother traveled to the U.S.
릴리와 그녀의 남동생은 미국으로 여행을 갔다.

10 This picture is old, _____ it looks nice.
이 그림은 오래되었지만 멋있어 보인다.

11 Susan likes action movies, _____ Paul likes comedy movies.
수잔은 액션 영화를 좋아하지만, 폴은 코미디 영화를 좋아한다.

● 다음 (   ) 안에서 알맞은 것을 고르세요.

01 I didn't go out (so / (because)) it rained yesterday.
어제 비가 왔기 때문에 나는 밖에 나가지 않았다.

02 Alice was at school (so / when) her dad arrived home.
그녀의 아빠가 집에 도착했을 때 앨리스는 학교에 있었다.

03 He was hungry, (so / because) he ordered some food.
그는 배가 고파서 음식을 좀 주문했다.

04 (When / Because) I met him, he had short hair.
내가 그를 만났을 때 그는 짧은 머리를 가지고 있었다.

05 Please call me (so / when) you have time.
시간이 있을 때 내게 전화해 줘.

06 Danny was happy (so / because) he won the game.
대니는 그 경기에서 이겼기 때문에 행복했다.

07 The music is too loud, (so / when) I can't hear your voice.
음악이 너무 시끄러워서 나는 네 목소리를 들을 수 없다.

08 (So / Because) she was famous, everybody knew her.
그녀는 유명했기 때문에 모든 사람들이 그녀를 알았다.

09 Chris saw her (so / when) he was in the store.
크리스는 가게에 있을 때 그녀를 보았다.

10 Cindy doesn't have a camera, (so / when) she can't take photos.
신디는 카메라가 없어서 사진을 찍을 수 없다.

11 (Because / When) she woke up, it was noon.
그녀가 일어났을 때 정오였다.

● 우리말에 맞게 주어진 단어를 이용하여 문장을 완성하세요.
(필요하면 단어를 추가하거나 형태를 바꾸세요.)

01 나는 어제 축구와 농구를 했다. (play, I, soccer, basketball)

→ _____ I played soccer and basketball _____ yesterday.

02 그녀는 선생님이니 아니면 학생이니? (she, be, a teacher, a student)

→ _____

03 너는 스키 타러 가는 것을 좋아하지만, 그는 그것을 좋아하지 않는다. (he, like, it)

→ You like going skiing, _____ .

04 Jimmy(지미)는 샌드위치를 먹을 것이고 나는 우유를 마실 것이다. (I, drink, milk)

→ Jimmy will have a sandwich, _____ .

05 너무 더웠기 때문에 Sue(수)는 집에 머물렀다. (it, hot, be, so)

→ Sue stayed at home _____ .

06 Tom(톰)이 숙제를 하지 않아서 그의 엄마는 화가 났다. (his mom, angry, get)

→ Tom didn't do his homework, _____ .

07 Kelly(켈리)는 운동할 때 행복하다. (exercise, she)

→ Kelly feels happy _____ .

08 그는 아프기 때문에 친구들을 만날 수 없다. (he, sick, be)

→ _____ , he can't meet his friends.

09 네가 내게 전화했을 때 나는 카페에 있었다. (me, you, call)

→ _____ , I was at the cafe.

10 우리는 방과 후에 책을 읽거나 음악을 듣는다. (we, books, read, listen to, music)

→ _____ after school.

일러두기 ☑ 교재에 등장한 교육부 지정 초등 필수 영단어를 모두 정리했어요.

☑ 셀 수 있는 명사의 복수형, 동사의 3인칭 단수형까지 함께 공부할 수 있어요.

| CHAPTER 1 | 다음 단어의 뜻을 확인하고, 세 번씩 따라 써보세요.

UNIT 1

1	**teacher** (teachers)	선생님	teacher teacher teacher
2	**flower** (flowers)	꽃	
3	**tree** (trees)	나무	
4	**desk** (desks)	책상	
5	**house** (houses)	집	
6	**bread**	빵	
7	**water**	물	
8	**sugar**	설탕	
9	**money**	돈	
10	**soccer**	축구	
11	**need** (needs)	필요하다	
12	**library** (libraries)	도서관	
13	**friend** (friends)	친구	
14	**watch** (watches)	보다; 손목시계	
15	**movie** (movies)	영화	
16	**like** (likes)	좋아하다, 마음에 들어 하다	

17	**aunt** (aunts)	이모, 고모, 숙모	
18	**farmer** (farmers)	농부	
19	**bike** (bikes)	자전거	
20	**want** (wants)	원하다, 바라다	
21	**new**	새, 새로운	
22	**computer** (computers)	컴퓨터	
23	**box** (boxes)	상자	
24	**very**	매우, 아주	
25	**kind**	친절한	
26	**read** (reads)	읽다	
27	**yesterday**	어제	
28	**boring**	지루한	
29	**have** (has)	가지고 있다; 먹다	
30	**cellphone** (cellphones)	휴대전화	
31	**know** (knows)	알다	
32	**sister** (sisters)	여동생, 누나, 언니	
33	**teach** (teaches)	가르치다	
34	**good**	좋은	
35	**hat** (hats)	모자	
36	**sleepy**	졸린	
37	**fast**	빠른; 빠르게	
38	**baseball**	야구	
39	**big**	큰	
40	**favorite**	마음에 드는, 매우 좋아하는	

41	**sport**	스포츠, 운동	
42	**noodle** (noodles)	국수	
43	**meet** (meets)	만나다	
44	**eat** (eats)	먹다	
45	**every day**	매일	
46	**help** (helps)	돕다	
47	**high**	높은; 높이	
48	**visit** (visits)	방문하다	
49	**afternoon**	오후	
50	**delicious**	아주 맛있는	
51	**make** (makes)	만들다	
52	**math**	수학	
53	**clean** (cleans)	청소하다; 깨끗한	
54	**slowly**	느리게, 천천히	
55	**some**	조금, 약간의, 몇몇의	
56	**fly** (flies)	날다; 날리다	
57	**kite** (kites)	연	
58	**pencil** (pencils)	연필	
59	**England**	잉글랜드; 영국	
60	**subject** (subjects)	과목	
61	**table** (tables)	식탁, 테이블, 탁자	
62	**many**	많은	
63	**fish** (fish)	물고기, 생선	
64	**lake** (lakes)	호수	

65	**miss** (misses)	놓치다; 그리워하다
66	**grandmother** (grandmothers)	할머니
67	**name** (names)	이름
68	**firefighter** (firefighters)	소방관
69	**brave**	용감한
70	**love** (loves)	사랑하다, 매우 좋아하다
71	**coffee**	커피
72	**drink** (drinks)	마시다
73	**basketball**	농구
74	**player** (players)	선수
75	**tall**	키가 큰; 높은
76	**bag** (bags)	가방
77	**color** (colors)	색
78	**green**	초록색; 초록색의
79	**little**	작은; 어린
80	**brother** (brothers)	형, 오빠, 남동생
81	**often**	자주, 종종
82	**play** (plays)	연주하다; 놀다 (게임 등을) 하다
83	**husband** (husbands)	남편
84	**artist** (artists)	예술가, 아티스트
85	**live** (lives)	살다
86	**grandma** (grandmas)	할머니
87	**garden** (gardens)	정원
88	**police officer** (police officers)	경찰관

89	**mother** (mothers)	어머니	
90	**call** (calls)	부르다; 전화하다	
91	**song** (songs)	노래	
92	**snow** (snows)	눈이 오다; 눈	
93	**study** (studies)	공부하다	
94	**Chinese**	중국어; 중국의	
95	**go** (goes)	가다	
96	**school**	학교	
97	**sweet**	달콤한, 단	
98	**orange** (oranges)	오렌지	

UNIT 2

1	**run** (runs)	달리다, 뛰다	
2	**English**	영어	
3	**problem** (problems)	문제	
4	**dress** (dresses)	드레스, 원피스	
5	**beautiful**	아름다운	
6	**look** (looks)	~해 보이다; 보다	
7	**tired**	피곤한, 지친	
8	**hard**	열심히; 어려운, 힘든; 딱딱한	
9	**really**	정말로	
10	**snowy**	눈이 내리는	
11	**day** (days)	날, 하루	

12	**room** (rooms)	방	
13	**quiet**	조용한	
14	**drive** (drives)	운전하다	
15	**too**	너무	
16	**always**	항상	
17	**usually**	보통, 대개	
18	**sometimes**	가끔, 때때로	
19	**never**	절대 ~않다	
20	**great**	멋진, 훌륭한	
21	**well**	잘	
22	**pianist**	피아니스트	
23	**kindly**	친절하게, 다정하게	
24	**neighbor** (neighbors)	이웃	
25	**gym** (gyms)	(학교 등의) 체육관	
26	**come** (comes)	오다	
27	**smile** (smiles)	미소; 미소 짓다	
28	**tennis**	테니스	
29	**interesting**	재미있는, 흥미로운	
30	**angry**	화난	
31	**polite**	예의 바른	
32	**sing** (sings)	노래하다	
33	**loudly**	큰 소리로	
34	**deep**	깊은	
35	**honest**	정직한	

36	**man** (men)	(성인) 남자; 사람	
37	**food**	음식	
38	**easy**	쉬운	
39	**question** (questions)	질문; (시험 등의) 문제	
40	**race** (races)	경주, 달리기	
41	**quietly**	조용히	
42	**write** (writes)	쓰다	
43	**close**	닫다	
44	**door** (doors)	문	
45	**email**	이메일	
46	**shoes**	신발	
47	**long**	(길이가) 긴	
48	**happily**	행복하게	
49	**child** (children)	아이	
50	**mountain** (mountains)	산	
51	**tail** (tails)	꼬리	
52	**young**	젊은	
53	**expensive**	비싼, 돈이 많이 드는	
54	**careful**	조심하는	
55	**carefully**	조심스럽게, 주의하여	
56	**wall** (walls)	벽	
57	**use** (uses)	사용하다, 이용하다	
58	**exciting**	신나는, 흥미진진한	
59	**home**	집; 집에	

60	**late**	늦은; 늦게	
61	**speak** (speaks)	말하다	
62	**language** (languages)	언어	
63	**pizza**	피자	
64	**son** (sons)	아들	
65	**practice** (practices)	연습하다	
66	**piano** (pianos)	피아노	
67	**blue**	파란색; 파란색의	
68	**shirt** (shirts)	셔츠	
69	**yellow**	노란색; 노란색의	
70	**smell** (smells)	(특정한) 냄새가 나다	

UNIT 3

1	**bus stop** (bus stops)	버스 정류장	
2	**classroom** (classrooms)	교실	
3	**sofa** (sofas)	소파	
4	**park** (parks)	공원	
5	**street** (streets)	거리, 도로	
6	**morning**	아침	
7	**evening**	저녁	
8	**winter**	겨울	
9	**birthday**	생일	
10	**noon**	정오, 낮 12시	

11	**night**	밤	
12	**class** (classes)	반; 수업	
13	**dinner**	저녁 식사	
14	**after school**	방과 후에	
15	**lunch**	점심 식사	
16	**hour** (hours)	1시간	
17	**pen** (pens)	펜	
18	**bus** (buses)	버스	
19	**train** (trains)	기차	
20	**cafe** (cafes)	카페	
21	**buy** (buys)	사다, 구입하다	
22	**gift** (gifts)	선물	
23	**airport** (airports)	공항	
24	**stand** (stands)	서 있다	
25	**meeting** (meetings)	회의	
26	**airplane** (airplanes)	비행기	
27	**sky**	하늘	
28	**start** (starts)	시작하다	
29	**key** (keys)	열쇠	
30	**rain** (rains)	비가 오다; 비	
31	**uncle** (uncles)	삼촌, 고모부, 이모부	
32	**beach** (beaches)	해변	
33	**summer**	여름	
34	**talk** (talks)	말하다, 이야기하다	

35	**singer** (singers)	가수	
36	**hide** (hides)	숨다	
37	**truck** (trucks)	트럭	
38	**building** (buildings)	건물, 빌딩	
39	**shop** (shops)	가게, 상점	
40	**bank** (banks)	은행	
41	**lie** (lies)	거짓말; 거짓말하다	
42	**bed** (beds)	침대	
43	**space**	우주	
44	**be born**	태어나다	
45	**museum** (museums)	박물관	
46	**sit** (sits)	앉다	
47	**stay** (stays)	머무르다	
48	**weather**	날씨	
49	**so**	너무, 매우	
50	**cold**	추운, 차가운	
51	**kid** (kids)	아이	
52	**draw** (draws)	그리다	
53	**picture** (pictures)	사진, 그림	
54	**crayon** (crayons)	크레용	
55	**take a shower** (takes a shower)	샤워를 하다	
56	**curtain** (curtains)	(창문) 커튼	
57	**boat** (boats)	(작은) 배, 보트	
58	**bridge** (bridges)	다리	

59	**much**	(양이) 많은; 많이	
60	**puppy** (puppies)	강아지	
61	**take a walk** (takes a walk)	산책하다	
62	**theater** (theaters)	극장	
63	**milk**	우유	

CH 1 | EXERCISE

1	**learn** (learns)	배우다	
2	**early**	일찍	
3	**swim** (swims)	수영하다	
4	**ring** (rings)	반지	
5	**famous**	유명한	
6	**China**	중국	
7	**ice cream**	아이스크림	
8	**now**	지금, 이제	
9	**dish** (dishes)	접시; (접시에 담은) 요리	
10	**spoon** (spoons)	숟가락	
11	**cup** (cups)	컵, 잔	
12	**sunglasses**	선글라스	
13	**smart**	똑똑한	
14	**lovely**	사랑스러운	
15	**panda** (pandas)	판다	
16	**cute**	귀여운	

17	story (stories)	이야기	
18	sad	슬픈	
19	jump (jumps)	뛰다, 점프하다	
20	novel (novels)	소설	
21	popular	인기 있는	
22	move (moves)	움직이다, 옮기다; 이사하다	
23	quickly	빠르게	
24	old	낡은, 오래된; 늙은	
25	bicycle (bicycles)	자전거	
26	walk (walks)	걷다	
27	borrow (borrows)	빌리다	
28	umbrella (umbrellas)	우산	
29	animal (animals)	동물	
30	sleep (sleeps)	자다	
31	butter	버터	
32	guitar (guitars)	기타	
33	lesson (lessons)	수업, 레슨	
34	work (works)	일하다; 일, 직장	
35	open (opens)	열다; 열려 있는	

UNIT 1

1	**student** (students)	학생	
2	**get up** (gets up)	일어나다	
3	**sun**	태양, 해	
4	**rise** (rises)	(해, 달이) 뜨다; 올라가다	
5	**east**	동쪽	
6	**today**	오늘	
7	**every**	매~; 모든	
8	**do the dishes** (does the dishes)	설거지를 하다	
9	**candy** (candies)	사탕	
10	**arrive** (arrives)	도착하다	
11	**baby** (babies)	아기	
12	**cry** (cries)	울다	
13	**wash one's hair** (washes one's hair)	머리를 감다	
14	**art**	미술; 예술	
15	**France**	프랑스	
16	**city** (cities)	도시	
17	**father** (fathers)	아버지	
18	**rabbit** (rabbits)	토끼	
19	**ear** (ears)	귀	
20	**brush one's hair** (brushes one's hair)	머리를 빗다	

21	**market** (markets)	시장	
22	**store** (stores)	가게, 상점	
23	**science**	과학	
24	**kitchen** (kitchens)	부엌, 주방	
25	**pasta**	파스타	
26	**push** (pushes)	누르다; 밀다	
27	**button** (buttons)	버튼; 단추	
28	**Korean**	한국어; 한국의	
29	**violin** (violins)	바이올린	
30	**jacket** (jackets)	재킷	
31	**fix** (fixes)	고치다, 수리하다	
32	**keep a diary** (keeps a diary)	일기를 쓰다	
33	**wash** (washes)	씻다	
34	**hand** (hands)	손	
35	**glasses**	안경	
36	**ride** (rides)	타다	
37	**weekend** (weekends)	주말	

UNIT 2

1	**painter** (painters)	화가	
2	**plan** (plans)	계획하다; 계획	
3	**trip** (trips)	여행	
4	**last year**	작년	

5	last week	지난주	
6	ago	~ 전에	
7	then	그때	
8	do one's homework (does one's homework)	숙제를 하다	
9	take a photo[picture]	사진을 찍다	
10	dessert	디저트	
11	before	~ 전에	
12	taste	~한 맛이 나다; ~을 맛보다	
13	go fishing (goes fishing)	낚시하러 가다	
14	Japan	일본	
15	drop (drops)	떨어뜨리다; 떨어지다	
16	family (families)	가족	
17	Chicago	시카고 《미국의 도시》	
18	camera (cameras)	카메라, 사진기	
19	find (finds)	찾다, 발견하다	
20	hospital (hospitals)	병원	
21	windy	바람이 부는	
22	go hiking (goes hiking)	하이킹하러 가다, 등산하다	
23	put (puts)	놓다, 두다	
24	stop (stops)	멈추다	
25	mix (mixes)	섞다	
26	egg (eggs)	달걀, 계란	
27	go to bed (goes to bed)	잠자리에 들다	

28	**get a haircut** (gets a haircut)	머리를 자르다, 이발하다	
29	**ticket** (tickets)	표, 티켓	
30	**wash the dishes** (washes the dishes)	설거지를 하다	
31	**letter** (letters)	편지	
32	**restaurant** (restaurants)	식당, 레스토랑	
33	**dry** (dries)	말리다; 건조한	

UNIT 3

1	**tomorrow**	내일	
2	**do the laundry** (does the laundry)	빨래를 하다, 세탁하다	
3	**again**	다시	
4	**soon**	곧, 머지않아	
5	**tonight**	오늘 밤	
6	**next week**	다음 주	
7	**next month**	다음 달	
8	**tell** (tells)	말하다	
9	**bathroom** (bathrooms)	욕실; 화장실	
10	**a lot**	많이, 아주	
11	**outside**	바깥, 밖	
12	**cut** (cuts)	자르다	
13	**go skiing** (goes skiing)	스키 타러 가다	
14	**sea**	바다	
15	**bark** (barks)	짖다	

16	**build** (builds)	짓다, 만들다	
17	**concert** (concerts)	콘서트, 연주회	
18	**begin** (begins)	시작하다	
19	**exercise** (exercises)	운동하다; 운동	
20	**take a nap** (takes a nap)	낮잠을 자다	
21	**notebook** (notebooks)	공책	
22	**gallery** (galleries)	미술관	
23	**Paris**	파리《프랑스의 수도》	
24	**bake** (bakes)	굽다	
25	**cookie** (cookies)	쿠키	

CH 2 | EXERCISE + REVIEW (CH1-2)

1	**tea**	(음료) 차	
2	**grape** (grapes)	포도	
3	**French**	프랑스어; 프랑스의	
4	**cheesecake**	치즈케이크	
5	**minute** (minutes)	(시간 단위의) 분	
6	**nice**	친절한; 좋은, 멋진	
7	**history**	역사	
8	**toy** (toys)	장난감	
9	**pie**	파이	
10	**hold** (holds)	잡고[들고] 있다	
11	**wait** (waits)	기다리다	

12	salad	샐러드	
13	paint (paints)	페인트를 칠하다; 그리다	
14	eat out (eats out)	외식하다	
15	enjoy (enjoys)	즐기다	
16	comic book (comic books)	만화책	
17	travel (travels)	여행하다	
18	Europe	유럽	
19	dark	어두운	
20	empty	비어 있는	
21	wind	바람	
22	strong	강한, 힘센	
23	busy	바쁜	
24	pretty	예쁜, 귀여운	
25	hot	뜨거운, 더운; 매운	
26	pilot (pilots)	비행기 조종사	
27	go camping (goes camping)	캠핑을 가다	

| CHAPTER 3 | 다음 단어의 뜻을 확인하고, 세 번씩 따라 써보세요.

UNIT 1

1	here	여기에	
2	true	사실인, 맞는	

3	**solve** (solves)	풀다; 해결하다	
4	**bring** (brings)	가져오다, 데려오다	
5	**wallet** (wallets)	지갑	
6	**drawer** (drawers)	서랍	
7	**understand** (understands)	이해하다	
8	**Spanish**	스페인어; 스페인의	
9	**join** (joins)	함께하다	
10	**sound**	~처럼 들리다	
11	**hungry**	배고픈	
12	**turn off** (turns off)	(전기 등을) 끄다	
13	**air conditioner**	에어컨	
14	**cook** (cooks)	요리하다; 요리사	
15	**win** (wins)	이기다, 우승하다	
16	**bird** (birds)	새	

UNIT 2

1	**take a rest** (takes a rest)	쉬다	
2	**touch** (touches)	만지다	
3	**see a doctor** (sees a doctor)	진찰을 받다. 병원에 가다	
4	**wear** (wears)	입고[쓰고, 신고] 있다	
5	**dentist** (dentists)	치과의사	
6	**go to the dentist** (goes to the dentist)	치과에 가다	
7	**vegetable** (vegetables)	채소, 야채	

8	**river** (rivers)	강	
9	**coat** (coats)	외투, 코트	
10	**hear** (hears)	듣다	
11	**leave** (leaves)	(장소에서) 떠나다, 출발하다	
12	**dirty**	더러운, 지저분한	
13	**knife** (knives)	칼, 나이프	
14	**sharp**	날카로운	
15	**ask** (asks)	묻다, 물어 보다	
16	**feed** (feeds)	먹이를 주다	
17	**pigeon** (pigeons)	비둘기	
18	**waste** (wastes)	낭비하다	
19	**police**	경찰	
20	**brush one's teeth** (brushes one's teeth)	이를 닦다	
21	**pick** (picks)	꺾다; 고르다	
22	**helmet** (helmets)	헬멧	
23	**recycle** (recycles)	재활용하다	
24	**plastic**	플라스틱	
25	**throw** (throws)	던지다	
26	**stone** (stones)	돌; 돌멩이	
27	**listen to** (listens to)	~을 듣다	
28	**advice**	충고	
29	**follow** (follows)	(충고 등을) 따르다; 따라가다[오다]	
30	**rule** (rules)	규칙	
31	**textbook** (textbooks)	교과서	

1	**chopsticks**	젓가락	
2	**phone**	전화(기)	
3	**see** (sees)	보다	
4	**album** (albums)	앨범	
5	**cart** (carts)	카트	
6	**news**	뉴스; 소식	
7	**finish** (finishes)	끝내다, 마치다	
8	**kimchi**	김치	
9	**later**	나중에	
10	**safe**	안전한	
11	**turn on** (turns on)	(전기 등을) 켜다	
12	**peanut** (peanuts)	땅콩	
13	**time**	시간	

| **CHAPTER 4** | 다음 단어의 뜻을 확인하고, 세 번씩 따라 써보세요.

UNIT 1

1	**juice**	주스	
2	**hope** (hopes)	바라다, 희망하다	
3	**dance** (dances)	춤추다	
4	**T-shirt** (T-shirts)	티셔츠	
5	**music**	음악	

6	**skate** (skates)	스케이트를 타다; 스케이트	
7	**party** (parties)	파티	
8	**gold**	금으로 된; 금	
9	**medal** (medals)	메달	
10	**Korea**	한국	
11	**hamburger** (hamburgers)	햄버거	
12	**town** (towns)	마을	

UNIT 2

1	**fun**	재미있는	
2	**game** (games)	게임; 경기	
3	**subway** (subways)	지하철	
4	**sandwich** (sandwiches)	샌드위치	
5	**difficult**	어려운	
6	**hobby** (hobbies)	취미	
7	**horse** (horses)	말	
8	**change** (changes)	바꾸다, 변하다	
9	**hot chocolate**	코코아	

CH 4 | EXERCISE + REVIEW (CH3-4)

1	**people**	사람들	
2	**meat**	고기	
3	**grass**	잔디, 풀	

4	**cap** (caps)	야구모자	
5	**go on a picnic** (goes on a picnic)	소풍을 가다	
6	**Spain**	스페인	
7	**bakery** (bakeries)	제과점, 빵집	
8	**classmate** (classmates)	반 친구	
9	**go shopping** (goes shopping)	쇼핑하러 가다	
14	**snowman** (snowmen)	눈사람	

CHAPTER 5 | 다음 단어의 뜻을 확인하고, 세 번씩 따라 써보세요.

UNIT 1

1	**short**	짧은; 키가 작은	
2	**small**	작은	
3	**large**	(규모가) 큰, (양이) 많은	
4	**heavy**	무거운	
5	**happy**	행복한	
6	**fat**	뚱뚱한	
7	**thin**	마른; 얇은	
8	**bad**	나쁜	
9	**lazy**	게으른	
10	**pumpkin** (pumpkins)	호박	
11	**cucumber** (cucumbers)	오이	
12	**hair**	머리카락	

13	**mango** (mangos)	망고	
14	**apple** (apples)	사과	
15	**puzzle** (puzzles)	퍼즐	
16	**grade**	성적; 학년	
17	**earth**	지구	
18	**moon**	달	
19	**motorcycle** (motorcycles)	오토바이	
20	**sunflower** (sunflowers)	해바라기	
21	**tulip** (tulips)	튤립	
22	**warm**	따뜻한	
23	**Russia**	러시아	

UNIT 2

1	**all**	모든; 모든 것	
2	**cool**	시원한	
3	**wise**	현명한	
4	**dangerous**	위험한	
5	**station** (stations)	(기차)역, 정거장	
6	**cheetah** (cheetahs)	치타	
7	**life** (lives)	삶, 인생	
8	**hotel** (hotels)	호텔	
9	**year** (years)	해, 년; ~살, 나이	
10	**team** (teams)	팀, 단체	

11	**world** (worlds)	세계	
12	**London**	런던 《영국의 수도》	
13	**month** (months)	달	
14	**rich**	부유한	
15	**island** (islands)	섬	
16	**driver** (drivers)	운전사	
17	**cheap**	(값이) 싼	
18	**funny**	재미있는	

CH 5 | EXERCISE + REVIEW (CH4-5)

1	**handsome**	잘생긴	
2	**writer** (writers)	작가	
3	**swimmer** (swimmers)	수영선수	
4	**lucky**	운이 좋은	
5	**spring**	봄	

UNIT 1

1	**sunny**	화창한	
2	**soda**	탄산음료	
3	**go surfing** (goes surfing)	서핑하러 가다	
4	**vet** (vets)	수의사	
5	**cloudy**	흐린, 구름이 많은	
6	**chicken**	닭고기	
7	**pork**	돼지고기	
8	**eraser** (erasers)	지우개	
9	**pencil case** (pencil cases)	필통	
10	**fail** (fails)	(시험에) 떨어지다; 실패하다	
11	**test** (tests)	시험	
12	**country** (countries)	나라, 국가	
13	**koala** (koalas)	코알라	
14	**slow**	느린	
15	**bookstore** (bookstores)	서점	
16	**come back** (comes back)	돌아오다	
17	**tiger** (tigers)	호랑이	
18	**monkey** (monkeys)	원숭이	
19	**zoo** (zoos)	동물원	
20	**invite** (invites)	초대하다	
21	**banana** (bananas)	바나나	

22	**zookeeper** (zookeepers)	사육사	
23	**Austrailian**	호주인; 호주의	
24	**British**	영국인; 영국의	

UNIT 2

1	**wake up** (wakes up)	깨다, 일어나다	
2	**free time**	여가시간	
3	**sick**	아픈	
4	**watermelon** (watermelons)	수박	
5	**feel** (feels)	~한 기분이 들다, ~하게 느껴지다	
6	**go out** (goes out)	나가다	
7	**thirsty**	목마른	
8	**go to the movies** (goes to the movies)	영화 보러 가다	
9	**window** (windows)	창문	
10	**break** (breaks)	깨다; 깨어지다	
11	**Italy**	이탈리아	
12	**lose** (loses)	지다; 잃어버리다	
13	**cross** (crosses)	건너다	
14	**curly**	곱슬곱슬한	
15	**stomachache** (stomachaches)	복통	
16	**parents**	부모님	

1	**Germany**	독일	
2	**order** (orders)	주문하다; 명령하다	
3	**mall** (malls)	쇼핑몰	
4	**salty**	짠, 짭짤한	
5	**fork** (forks)	포크	
6	**noise** (noises)	소음, 소리	
7	**loud**	소리가 큰	
8	**drum** (drums)	북, 드럼	
9	**rainy**	비가 오는	
10	**pants**	바지	
11	**turtle** (turtles)	거북	
12	**ant** (ants)	개미	
13	**heater** (heaters)	히터, 난방기	
14	**penguin** (penguins)	펭귄	
15	**wing** (wings)	날개	

FINAL TEST 1-2회

1	**stage** (stages)	무대	
2	**bottle** (bottles)	병	
3	**floor** (floors)	바닥; 층	
4	**kangaroo** (kangaroos)	캥거루	
5	**seat belt** (seat belts)	안전벨트	

6	**next year**	내년	
7	**healthy**	건강한	
8	**salt**	소금	
9	**Christmas Day**	크리스마스 날	
10	**sell** (sells)	팔다	
11	**fresh**	신선한, 싱싱한	
12	**answer** (answers)	정답; 대답; 대답하다	
13	**kick** (kicks)	차다	
14	**ball** (balls)	공	
15	**carry** (carries)	들고 있다; 나르다	
16	**chair** (chair)	의자	
17	**tie** (ties)	묶다	
18	**climb** (climbs)	오르다, 올라가다	
19	**thick**	두꺼운	

MEMO

왓츠Grammar

초등 필수 영문법의 **기초를 탄탄히** 쌓는

· Start 시리즈 ·

초등 교과 과정의
필수 기초 문법

초등 필수 영문법을 **완벽하게 마무리**하는

· Plus 시리즈 ·

초등 교과 과정의
필수 기초 문법 및 심화 문법

부가자료 다운로드

www.cedubook.com

EGU

THE EASIEST GRAMMAR & USAGE

EGU 시리즈 소개

EGU 서술형 기초 세우기

영단어&품사

서술형·문법의 기초가 되는
영단어와 품사 결합 학습

문장 형식

기본 동사 32개를 활용한
문장 형식별 학습

동사 써먹기

기본 동사 24개를 활용한
확장식 문장 쓰기 연습

EGU 서술형·문법 다지기

문법 써먹기

개정 교육 과정
중1 서술형·문법 완성

구문 써먹기

개정 교육 과정
중2, 중3 서술형·문법 완성

쎄듀북닷컴(www.cedubook.com)에서 부가 자료를 무료로 다운로드할 수 있습니다.

쎄듀

천일문 STARTER

중등 영어 구문·문법 학습의 시작

1 중등 눈높이에 맞춘 권당 약 500문장 + 내용 구성

2 개념부터 적용까지 체계적 학습

3 천일문 완벽 해설집 「천일비급」 부록

4 철저한 복습을 위한 워크북 포함

구문 대장 천일문, *중등도 천일문만 믿어!*

3 in 1 구성

+ 본책   + 워크북

+ 천일비급

쎄듀런
Mobile & PC

**온라인 구문 문장
암기 학습권[유료]**

중등부터 고등까지, *천일문과 함께!*

⭐ 예비중 ~ 중3	예비고1	고1	고2	고3
천일문 STARTER 구문 학습 첫걸음	**천일문 입문** 우선 순위 빈출 구문	**천일문 기본** 기본/빈출/중요 구문 총망라	**천일문 핵심** 혼동 구문 완벽 해결	**천일문 완성** 고난도 구문 뛰어넘기

쎄듀북닷컴(www.cedubook.com)에서 부가 자료를 무료로 다운로드할 수 있습니다.

쎄듀

중학 서술형이 **만만해지는 문장연습**

쓰작 시리즈
중학
영어

쓰기 + 작문

교과서 맞춤형 본 책 + **탄탄해진 워크북** + **맞춤형 부가자료**

> 내가 **쓰**는 대로
> **작**문이 완성된다!

❶ 중학 교과서 진도 맞춤형 내신 서술형 대비

❷ 한 페이지로 끝내는 핵심 영문법 포인트별 정리 + 문제 풀이

❸ 효과적인 3단계 쓰기 훈련 :
  순서배열 → 빈칸 완성 → 내신 기출

❹ 최신 서술형 100% 반영된 문제와 추가 워크북으로 서술형 완벽 대비

❺ 13종 교과서 문법 분류표·연계표 등 특별 부록 수록

쎄듀

What's
Grammar ⁺Plus

3

정답과 해설

쎄듀

왓츠
What's
Grammar⁺Plus

정답과 해설

UNIT1 명사, 대명사

Step 2   p.13

A **1** You, flowers   **2** hat, hers
 3 my, books   **4** His, baseball
 5 David, noodles   **6** I, him
 7 This, teacher   **8** They, sugar

→ 1 너는 꽃을 좋아한다. / 대명사 you는 주어 자리
 에, 명사 flowers는 목적어 자리에 쓴다.

 2 이 모자는 그녀의 것이다. / 명사 hat은 This의
 꾸밈을 받는 자리에, 대명사 hers는 보어 자리
 에 쓴다.

 3 저것들은 내 책들이다. /「소유격 대명사+명사」
 의 순서로 쓴다.

 4 그가 가장 좋아하는 스포츠는 야구이다.

 5 데이비드는 매일 국수를 먹는다.

 6 테드와 나는 오후에 그를 방문한다. / 주격 대명
 사 I는 주어 자리에, 목적격 대명사 him은 목적
 어 자리에 쓴다.

 7 이분은 나의 수학 선생님이다.

 8 그들은 설탕이 조금 필요하다. / 주격 대명사
 they는 주어 자리에, 명사 sugar는 목적어 자리
 에 쓴다. some은 sugar를 꾸며주는 형용사이
 다.

B **1** 명사 - kite 대명사 - They
 2 명사 - pencils 대명사 - mine
 3 명사 - England 대명사 - She
 4 명사 - subject, math 대명사 - My
 5 명사 - books, table 대명사 - Their
 6 명사 - fish, lake
 7 명사 - Jessica, grandmother
    대명사 - her

 8 명사 - cat, name, Simba 대명사 - I, Its
 9 명사 - Mr. Green, firefighter
    대명사 - He

C **1** them   **2** it   **3** She
 4 Its   **5** him   **6** We
 7 They   **8** her   **9** his

→ 1 네이트는 개 두 마리가 있다. 그는 그것들을
 아주 좋아한다.

 2 그녀는 커피를 좋아한다. 그녀는 매일 그것을
 마신다.

 3 다이앤은 농구 선수이다. 그녀는 키가 매우
 크다.

 4 내 여동생[언니, 누나]의 가방은 새것이다. 그것
 의 색깔은 초록색이다.

 5 제시카는 남동생이 있다. 그녀는 종종 그를 도와
 준다.

 6 제이든과 나는 매일 축구를 한다. 우리는 축구를
 아주 좋아한다.

 7 소피와 그녀의 남편은 예술가이다. 그들은 뉴욕
 에 산다.

 8 이것은 나의 할머니의 정원이다. 우리는 종종
 그녀의 정원에서 논다.

 9 이 휴대전화는 내 남동생[오빠, 형]의 것이다. 저
 휴대전화는 그의 것이 아니다.

Step 3   p.15

A **1** My aunt lives in Russia.
 2 These are brave police officers.
 3 Her mother calls her
 4 Our favorite song is his song.

B **1** My sister doesn't like snow.
 2 They don't[do not] study Chinese.
 3 Sam and Mike like their teacher.

4 He goes to school with his friends.

5 These are sweet oranges.

UNIT 2 동사, 형용사, 부사

Step 2   p.17

A 1 great   2 kind   3 goes

4 may come   5 beautiful smile

6 can play   7 really   8 angry

→ 1 피터는 훌륭한 피아니스트이다. **/** 명사를 앞에서 꾸며줄 수 있는 것은 형용사이다.

2 그는 친절한 이웃이다.

3 베스는 매일 체육관에 간다.

4 너는 나의 집에 와도 된다. **/** 조동사는 be동사나 일반동사 앞에 쓰인다.

5 너는 아름다운 미소를 가지고 있다.

6 나의 누나[언니, 여동생]는 테니스를 매우 잘 칠 수 있다.

7 그 책은 정말 재미있었다. **/** 형용사를 꾸며주는 부사 really가 알맞다.

8 빅터는 나에게 매우 화가 났었다. **/** be동사 was 뒤에서 주어를 설명해주는 보어 자리이므로 형용사가 알맞다.

B 1 The boy   2 sang   3 deep

4 man   5 Her cellphone

6 shines   7 food   8 That cake

→ 1 그 소년은 예의 바르다. **/** 보어로 쓰인 형용사가 주어 The boy를 설명해준다.

2 그녀는 매우 크게 노래를 불렀다. **/** 부사가 동사 sang을 꾸며준다.

3 이 호수는 매우 깊다. **/** 부사가 형용사 deep을 꾸며준다.

4 다니엘은 정직한 사람이다. **/** 형용사가 명사 man을 꾸며준다.

5 그녀의 휴대전화는 새것이다. **/** 보어로 쓰인 형용사가 주어 Her cellphone을 설명해준다.

6 태양이 밝게 빛난다. **/** 부사가 동사 shines를 꾸며준다.

7 나의 형과 나는 단 음식을 좋아한다. **/** 형용사가 명사 food를 꾸며준다.

8 저 케이크는 맛있어 보인다. **/** 보어로 쓰인 형용사가 주어 That cake를 설명해준다.

C 1 went   2 easy   3 so fast

4 quietly   5 can write   6 red, are

7 happily   8 very   9 has, long

10 looks young   11 This, expensive

12 carefully

→ 1 줄리는 어제 서울에 갔다. **/** 주어 다음에 동사가 필요하므로 went가 알맞다.

2 그것은 쉬운 문제였다. **/** 명사 question을 꾸며주는 형용사가 알맞다.

3 진은 경주에서 정말 빨리 달렸다. **/** 동사 ran을 꾸며주는 부사가 알맞다. 부사 so는 다른 부사 fast를 꾸며준다.

4 앤디는 조용히 문을 닫았다. **/** 동사 closed를 꾸며주는 부사가 알맞다.

5 나는 영어로 이메일을 쓸 수 있다. **/** 주어 다음에 동사가 없으므로 주어진 단어 중 동사인 write, are, can 중 알맞은 것을 넣어야 한다. 빈칸 뒤에 동사의 목적어 an email이 있으므로 write가 알맞고, 일반동사 앞에 올 수 있는 조동사 can을 write 앞에 쓰면 된다.

6 그 빨간 신발은 내 것이다. **/** 첫 번째 빈칸에는 명사 shoes를 꾸며주는 형용사가 들어가야 하고, 두 번째 빈칸에는 동사가 들어가야 하므로 are가 알맞다.

7 그 아이들은 행복하게 노래를 불렀다. **/** 동사 sang을 꾸며주는 부사가 알맞다.

8 그 산은 무척 아름답다. **/** 형용사를 꾸며주는 부사 very가 알맞다.

9 내 고양이는 긴 꼬리를 가지고 있다. **/** 첫 번째 빈칸에는 주어 My cat의 동사가 필요하므로 has가 들어가야 하고, 두 번째 빈칸에는 명사 tail을 꾸며주는 형용사 long이 알맞다.

10 나의 할아버지는 젊어 보이신다. **/** 주어 My grandpa의 동사가 필요하므로 첫 번째 빈칸에는 looks(~해 보이다)가 알맞다. looks 뒤에는 주어를 설명해주는 형용사 보어가 와야 하는데, young, expensive 중 의미상 young이 가장 적절하다.

11 이 차는 매우 비싸다. **/** 첫 번째 빈칸에는 명사 car를 꾸며주는 형용사가, 두 번째 빈칸에는 주어를 설명해주는 형용사 보어가 들어가야 한다. this는 지시형용사로 쓰여 명사를 꾸며줄 수 있으므로 This, expensive 순으로 들어가는 것이 알맞다.

12 테디는 조심히 운전한다. **/** 동사 drives를 꾸며주는 부사가 알맞다.

Step 3   p.19

A 1 The wall is very high.
    2 You may use my computer.
    3 It was an exciting game.
    4 My dad comes home late.
    5 This is a very interesting movie.

B 1 She can speak four languages.
    2 Sally often makes pizza
    3 Her son practices the piano very hard.
    4 Paul has that blue shirt.
    5 These yellow flowers smell good.

UNIT❸ 전치사

Step 2   p.21

A 1 at   2 for   3 to
    4 behind   5 after   6 across

B 1 on   2 at   3 in
    4 for   5 with   6 in
    7 about   8 under   9 in front of
    10 between

→ 1 토요일에 만나자.
    2 그 수업은 9시 30분에 시작한다.
    3 그 자동차 열쇠는 그녀의 가방 안에 있다.
    4 4일 동안 비가 내렸다.
    5 조나단은 그의 삼촌과 함께 산다.
    6 우리는 여름에 해변에 간다.
    7 그녀는 항상 그 가수에 대해 이야기한다.
    8 메리는 탁자 아래에 숨어 있다.
    9 그 건물 앞에 큰 트럭이 한 대 있다.
    10 그 가게는 도서관과 은행 사이에 있다.

C 1 on the bed   2 on July 14th
    3 about space   4 in 2013
    5 to the library   6 by bus
    7 next to me

→ 2 날짜 앞에는 전치사 on을 쓴다.
    4 연도 앞에는 전치사 in을 쓴다.
    6 전치사는 명사 또는 대명사 '앞'에 오는 말이다.
    7 전치사 뒤에 대명사가 올 때는 목적격으로 써야 한다.

D 1 at home   2 in January
    3 with crayons   4 before dinner
    5 behind the curtain

Step 3   p.23

A 1 A boat is under the bridge.
    2 She doesn't eat much at night.
    3 He played basketball with his friends.
    4 My puppy is between Sam and me.

B 1 I take a walk after lunch.
    2 We met at the bus stop
    3 The movie is about a dog.
    4 The theater is next to the bank.
    5 I usually drink milk in the morning.

CHAPTER 1   p.24

01 ④   02 ③   03 ③   04 ②   05 ①
06 ⑤   07 ④   08 ⑤   09 ③   10 ③
11 old   12 slowly   13 borrow
14 him   15 ①   16 butter, bread
17 at, before   18 cute, big
19 need, bought   20 on   21 at
22 for   23 between
24 They live next to my house.
25 He opened the box carefully.

01 ④ this와 her 모두 대명사이다.

02 ③ honest와 new 모두 형용사이다.

03 상자 안에 아름다운 반지가 하나 있다. / in은 전치사이므로 위치를 나타내는 명사 the box 앞에 들어가는 것이 알맞다.

04 그들은 중국에서 매우 유명하다. / very는 부사이므로 형용사 famous 앞에 들어가는 것이 알맞다.

05 너는 지금 아이스크림을 먹어도 된다. / may는 조동사이므로 일반동사 have 앞에 들어가야 한다.

06 탁자 위에 네 개의 _____이 있다. ① 접시들 ② 오렌지들 ③ 숟가락들 ④ 컵들 ⑤ 좋아하다 / 빈칸에는 명사의 복수형이 들어가야 한다. ⑤는 동사이므로 알맞지 않다.

07 이 선글라스는 _____다. ① 새것인 ② 내 것 ③ 그녀의 것 ④ 천천히 ⑤ 비싼 / 주어인 These sunglasses를 설명해주는 말인 형용사 또는 (대)명사가 들어가야 한다. ④는 부사이므로 알맞지 않다.

08 수잔은 _____ 여자아이다. ① 똑똑한 ② 친절한 ③ 어린 ④ 사랑스러운 ⑤ 매우 / 명사 girl을 앞에서 꾸며주는 형용사가 들어가야 한다. ⑤는 부사이므로 알맞지 않다.

09 ① 데이브는 키가 크다. ② 저 차는 새것이다. ③ 저것들은 강아지들이다. ④ 그 판다는 귀여워 보인다. ⑤ 그 피자는 좋은 냄새가 난다. /

③ puppies는 명사 puppy의 복수형이다. 나머지는 모두 형용사이다.

10 ① 그 이야기는 매우 슬펐다. ② 나의 고양이는 높이 점프할 수 있다. ③ 그의 소설은 인기가 있다. ④ 그 여자아이들은 행복하게 미소 지었다. ⑤ 그들은 그 상자들을 빠르게 옮겼다. / ③의 popular는 형용사이고, 나머지는 모두 부사이다.

11 저것은 오래된 자전거이다. / 명사 bicycle을 꾸며줄 수 있는 형용사 old가 알맞다.

12 나의 할머니는 천천히 걸으신다. / 동사 walks를 꾸며줄 수 있는 부사 slowly가 알맞다.

13 너는 내 우산을 빌려도 된다. / 조동사 뒤에는 be동사 또는 일반동사가 와야 하므로 borrow가 알맞다.

14 브라이언은 남동생[형]이 한 명 있다. 그는 그와 함께 논다. / 전치사 with 뒤에는 명사 또는 대명사가 와야 하므로 him이 알맞다.

15 · 나는 그녀를 위해 이것을 샀다. · 몇몇 동물들은 겨울에 잠을 잔다. / 전치사 for 뒤에는 대명사의 목적격이 들어가야 하고, 계절 앞에는 전치사 in을 쓰므로 ①이 알맞다.

16 나는 약간의 버터가/빵이 필요하다. / 동사 need의 목적어 자리이므로 명사가 알맞다.

17 그녀는 집에 9시 정각에/전에 왔다. / 시각을 나타내는 말 앞이므로 전치사가 알맞다.

18 그녀는 매우 귀여운/큰 개가 있다. / 명사 dog를 꾸며주는 형용사가 알맞다.

19 나는 휴대전화가 필요하다/휴대전화를 샀다. / 주어 I 뒤에 동사가 필요하므로 need, bought가 알맞다. 조동사 can과 a cellphone 사이에는 동사 원형이 또 있어야 하므로 알맞지 않다.

20 나는 금요일마다 기타 수업이 있다.

21 마틴은 밤에 일한다.

22 우리는 대구에서 10년 동안 살았다.

22 에번은 나와 내 여동생[언니, 누나] 사이에 서 있다.

25 동사 opened를 꾸며주는 부사 형태가 알맞다.

UNIT 1 현재시제

Step 2   p.29

A 1 does   2 go   3 am
4 like   5 watches   6 arrives
7 are   8 cries   9 washes

→ 1 저스틴은 설거지를 한다. / 동사 do의 3인칭
단수 현재형은 뒤에 -es를 붙인 does이다.

2 그들은 버스를 타고 학교에 가니? / 일반동사의
의문문에서 주어 뒤에는 항상 동사원형이 온다.

3 나는 지금 정원에 있다.

4 캐롤과 나는 사탕을 좋아하지 않는다. / don't
또는 doesn't 뒤에는 항상 동사원형이 온다.

5 그는 매일 TV를 본다. / 주어가 3인칭 단수이므
로 3인칭 단수 현재형 동사가 알맞다.

6 그 기차는 7시에 도착한다.

7 아담과 그의 친구들은 방에 있다. / 주어가
「A and B」의 복수 명사이므로 are가 알맞다.

8 그 아기는 너무 크게 운다. / '자음+y'로 끝나는
동사의 3인칭 단수 현재형은 y를 i로 바꾸고
-es를 붙인다.

9 내 여동생[언니, 누나]은 매일 아침 머리를 감는
다. / -sh로 끝나는 동사의 3인칭 단수 현재형은
뒤에 -es를 붙인다.

B 1 studies   2 isn't   3 don't live
4 teaches   5 have

→ 1 주어가 3인칭 단수 Dan(→ He)이므로 study의
3인칭 단수 현재형으로 쓴다.

2 '~(에) 있지 않다'는 「be동사+not」으로 나타낸다.

주어가 단수 명사 Your book(→ It)이므로 is
not의 줄임말 isn't로 쓴다.

3 '~하지 않다'는 「don't/doesn't+동사원형」으로
나타낸다. 주어가 They이므로 don't가 알맞다.

4 주어가 복수 명사이므로 동사 원래 모양 그대로
쓴다.

C 1 buys   2 is   3 closes
4 studies   5 brushes   6 are

D 1 cooks   2 pushes   3 is
4 know   5 speaks   6 flies
7 plays   8 isn't[is not]

→ 1 주어가 3인칭 단수 My mom(→ She)이므로
cook의 3인칭 단수 현재형 cooks로 고쳐야 한다.

2 -sh로 끝나는 동사의 3인칭 단수 현재형은 뒤에
-es를 붙인다.

6 '자음+y'로 끝나는 동사의 3인칭 단수 현재형은
y를 i로 바꾸고 -es를 붙인다.

7 play는 '모음+y'로 끝나는 동사이므로 뒤에 -s만
붙인다.

8 주어가 단수 명사이므로 isn't가 알맞다.

Step 3   p.31

A 1 Harry has dinner at 6 p.m.
2 Jacob is in the classroom
3 My mom fixes the computer.
4 The museum closes on Mondays.

→ 1 주어가 3인칭 단수 Harry(→ He)이므로 have의
3인칭 단수 현재형 has로 바꿔 쓴다.

3 주어가 3인칭 단수 My mom(→ She)이므로 fix
뒤에 -es를 붙여 쓴다. -x로 끝나는 동사는 뒤에

-es를 붙인다.

4 주어가 3인칭 단수 The museum(→ It)이므로 close 뒤에 -s를 붙여 쓴다.

B 1 Kate doesn't keep a diary.
2 He washes his hands.
3 Your glasses are on the table.
4 Sean and I ride bicycles on weekends.
5 Does she have a piano lesson at 4?

UNIT 2 과거시제

Step 2 p.33

A 1 ate   2 like   3 was
4 tasted   5 went   6 Were
7 dropped   8 met   9 lived

→ 1 그녀는 천천히 그녀의 디저트를 먹었다.
2 나는 이전에 여름을 좋아하지 않았다. / didn't 뒤에는 항상 동사원형이 온다.
3 그는 이틀 전에 학교에 지각했다. / 과거를 나타내는 시간 표현 two days ago가 있으므로 동사의 과거형이 알맞다.
4 그 파스타는 맛있었다.
5 그녀는 지난주에 낚시를 하러 갔다.
6 너는 일주일 전에 일본에 있었니?
7 그 학생은 연필을 떨어뜨렸다. / '모음 1개+자음 1개'로 끝나는 동사의 과거형은 마지막 자음을 한 번 더 쓰고 뒤에 -ed를 붙인다.
8 피터와 론은 어제 도서관에서 만났다. / 과거를 나타내는 시간 표현 yesterday가 있으므로 동사의 과거형이 알맞다.
9 내 가족은 작년에 시카고에 살았다.

B 1 took   2 didn't use   3 found
4 Was   5 wanted

→ 2 '~하지 않았다'는 「didn't+동사원형」으로 나타낸다.

C 1 worked   2 were   3 visited

---

4 was   5 rode   6 watched
D 1 went   2 arrived   3 put
4 wasn't[was not]   5 stop
6 drove   7 read

→ 1 과거를 나타내는 시간 표현 last weekend가 있으므로 go의 과거형 went로 고쳐야 알맞다.
2 과거를 나타내는 시간 표현 an hour ago가 있으므로 arrive의 과거형 arrived로 고쳐야 알맞다.
3 동사 put의 과거형도 put이다.
4 주어가 단수 명사 The movie(→ It)이므로 wasn't가 알맞다.
5 일반동사 과거형의 의문문에서 주어 뒤에는 항상 동사원형이 온다.
6 동사 drive의 과거형은 drove이다.
7 동사 read의 과거형도 read이다. 이때 과거형 동사의 발음은 [red]이므로 주의해야 한다.

Step 3 p.35

A 1 I mixed eggs and sugar.
2 Clara went to bed at 8 o'clock.
3 Ann got a haircut yesterday.
4 The tickets were expensive.

B 1 Ted washed the dishes last night.
2 She wrote a letter yesterday.
3 Was Paul a baseball player?
4 We did not[didn't] open our restaurant on Monday.
5 Olivia dried her hair.

UNIT 3 현재진행형과 미래시제

Step 2 p.37

A 1 tell   2 is   3 water
4 using   5 to read   6 snowing
7 cutting   8 is

→ 1 레나는 거짓말을 하지 않을 것이다. **/** won't[will not] 뒤에는 항상 동사원형이 온다.

2 그 남자는 집을 치우고 있다.

3 나는 내일 꽃들에 물을 줄 것이다.

4 그들은 지금 화장실을 사용하고 있다. **/** -e로 끝나는 동사의 -ing형은 e를 빼고 -ing를 붙인다.

5 그녀는 책들을 읽을 거니?

6 밖에 눈이 많이 오고 있다.

7 우리는 케이크를 자르고 있다. **/** '모음 1개+자음 1개'로 끝나는 동사의 -ing형은 마지막 자음을 한 번 더 쓰고 -ing를 붙인다.

8 캐시는 이번 주말에 스키를 타러 갈 것이다.

B 1 is swimming   2 will be
3 are barking   4 won't rain
5 are going to build

C 1 will not[won't] borrow
2 Is he taking a shower?
3 Is the concert going to begin
4 are not[aren't] exercising

→ 1 에덴은 우산을 빌릴 것이다.
→ 에덴은 우산을 빌리지 않을 것이다.

2 그는 샤워를 하고 있다.
→ 그는 샤워를 하고 있니?

3 그 콘서트는 오후 9시에 시작할 예정이다.
→ 그 콘서트는 오후 9시에 시작할 예정이니?

4 우리는 체육관에서 운동을 하고 있다.
→ 우리는 체육관에서 운동을 하고 있지 않다.

D 1 take   2 running   3 We're[We are]
4 having   5 will   6 drinking
7 visit   8 Are

→ 4 동사 have가 '가지다'의 의미일 때는 진행형으로 쓸 수 없지만, '먹다'의 의미일 때는 진행형으로 쓸 수 있다.

5 will은 주어에 상관없이 항상 will로 쓰인다.

7 be going to 뒤에는 항상 동사원형이 온다.

Step 3   p.39

A 1 I am going to visit the gallery.

2 Is it snowing now?

3 We will go to Paris in May.

4 The kids are jumping on the sofa.

5 She's not going to be late.

B 1 He is going to go to the mountain

2 Jimmy and Kate will watch TV.

3 Tiffany is swimming

4 The babies are crying now.

5 Is your mom baking cookies?

CHAPTER EXERCISE

CHAPTER 2			p.40

01 ②   02 ④ 03 isn't   04 will learn
05 ate   06 has   07 studies
08 drove   09 is drinking 10 ②, ④
11 ①, ④   12 ⑤   13 ⑤   14 ④
15 ⑤   16 borrowed
17 will travel   18 are going to clean
19 are painting   20 ④

01 그녀는 매일 아침 차를 <u>마신다</u>.

02 이 포도들은 달다.

03 샤론은 중국에 머물지 않을 것이다.

04 그는 다음 주에 프랑스어를 배울 것이다. **/** 미래를 나타내는 시간 표현 next week가 있으므로 미래 시제로 나타내는 것이 알맞다.

05 그 여자아이는 10분 전에 치즈케이크를 먹었다.

10 ① 그 아이는 그 장난감을 좋아했다. ② 존은 사과 파이를 만들었다. ③ 나는 어젯밤에 너에게 전화했다. ④ 그들은 내일 테니스를 칠 것이다. ⑤ 앨리스는 컵을 잡고 있다. **/** ② 동사 make의 과거형은 made이다. ④ 미래를 나타내는 시간 표현 tomorrow가 있으므로 will play 또는 are going to play로 나타내는 것이 알맞다.

11 ① 우리는 기타를 칠 것이다. ② 그 아기는 지금 웃고 있다. ③ 제인은 너를 기다리고 있니? ④ 그녀

는 샐러드를 먹고 있다. ⑤ 그 남자들은 벽에 페인트칠을 하고 있다. / ① 「be going to+동사원형」의 형태가 되어야 하므로 play 앞에 to가 있어야 한다. ④ 동사 have의 -ing형은 e를 빼고 -ing를 붙인다.

12 그들은 _____에 낚시를 하러 갈 것이다. ① 어젯밤 ② 2년 전 ③ 일주일 전 ④ 어제 ⑤ 이번 주말 / 미래표현 「will+동사원형」이 쓰였으므로 빈칸에는 ⑤가 알맞다. 나머지는 모두 과거를 나타내는 시간 표현이므로 빈칸에 들어갈 수 없다.

13 론은 _____ 숙제를 했다. ① 내일 ② 내년 ③ 곧 ④ 지금 ⑤ 오늘 아침 / 동사의 과거형 did가 쓰였으므로 빈칸에는 ⑤가 알맞다. ①, ②, ③은 미래표현과 함께 쓰이고, ④는 주로 현재진행형과 함께 쓰인다.

14 ① 그는 한 시간 전에 집에 있었다. ② 그 남자아이는 오늘 밤에 외식을 할 것이다. ③ 그녀는 휴대전화를 살 것이다. ④ 우리는 어제 공원에 갔다. ⑤ 내 남동생[오빠, 형]은 설거지를 한다. / ① 과거를 나타내는 시간 표현 an hour ago가 있으므로 was로 고쳐야 한다. ② will은 모양이 바뀌지 않으므로 wills를 will로 고쳐야 한다. ③ be going to 뒤에는 항상 동사원형이 온다. ⑤ -sh로 끝나는 동사의 3인칭 단수 현재형은 뒤에 -es를 붙인다.

15 ① 우리는 점심으로 피자를 먹었다. ② 제시는 아이스크림을 아주 좋아한다. ③ 내 친구는 그녀의 개를 산책시키고 있다. ④ 앤디는 만화책을 즐긴다. ⑤ 나의 아버지는 자동차로 출근하신다. / ① 동사 eat의 과거형은 ate이다. ② 주어가 3인칭 단수이므로 loves가 알맞다. ③ 주어가 3인칭 단수이므로 be동사 are를 is로 고쳐야 한다. ④ 동사 enjoy의 3인칭 단수 현재형은 뒤에 -s를 붙여 만든다.

16 나는 어제 케이트의 공책을 빌렸다.

17 그는 다음 달에 유럽으로 여행을 갈 것이다.

18 그들은 그들의 방을 치울 것이다.

19 빌과 헨리는 그림을 그리고 있다.

20 ① 어제는 밖이 어두웠다. ② 그 방은 지난달에 비어 있지 않았다. ③ 어젯밤에 바람이 강했다. ④ 수는 지금 매우 바쁘다. ⑤ 나는 한 시간 전에 버스에 있었다. / ④ now가 있으므로 빈칸에는 be동사의 현재형 is가 알맞다. 나머지는 모두 과거를 나타내는 시간 표현이 있으므로 be동사의 과거형 was가 들어간다.

REVIEW

CHAPTER 1-2 p.42

A 1 arrive 2 swimming 3 pretty
4 good 5 were 6 Are

B 1 takes 2 isn't taking
3 will be 4 is going to be
5 are going to go 6 went

A 1 그는 오늘 밤에 일본에 도착할 것이다.
2 에이미는 호수에서 수영을 하고 있다.
3 그 여자아이는 매우 예쁘다. / be동사 뒤에서 주어를 설명해주는 것은 형용사 pretty이다. very는 형용사를 꾸며주는 부사이다.
4 토미와 나는 좋은 친구이다.
5 그들은 한 시간 전에 공항에 있었다.
6 너는 영국에서 왔니?

B 1 '~하다'는 일반동사의 현재형으로 나타내고, 주어가 3인칭 단수이므로 take 뒤에 -s를 붙여 쓴다.
2 '~하고 있지 않다'는 현재진행형의 부정문 「am/are/is+not+동사의 -ing형」으로 나타낸다.
3 '~할 것이다, ~일 것이다'는 will 또는 be going to를 이용하여 나타내는데, 빈칸이 두 개이므로 「will+동사원형」의 형태로 쓴다.
4, 5 「be going to+동사원형」의 형태로 쓴다.
6 과거를 나타내는 시간 표현 last night가 있으므로 동사 go의 과거형 went로 쓴다.

UNIT 1 조동사 can, may

Step 2   p.45

A 1 play   2 can   3 may
    4 may   5 Can she understand
    6 cannot jump

→ 1 조동사 뒤에는 항상 동사원형이 온다.
   5 조동사의 의문문은 주어와 조동사의 순서만
     바뀐다. 「Can+주어+동사원형 ~?」의 형태로
     쓴다.
   6 조동사의 부정문은 조동사 뒤에 not을 쓴다.

B 1 may not[cannot] go   2 can make
    3 Can, wait   4 may join

→ 1 '~하면 안 된다'라는 허락의 의미는 may not
     또는 cannot을 사용하여 나타낼 수 있다.
   3 '~해 줄래요?'라는 요청의 의미는 「Can you+
     동사원형 ~?」으로 나타낼 수 있다.
   4 '~일지도 모른다'라는 추측의 의미는 「may+
     동사원형」으로 나타낼 수 있다.

C 1 노래를 할 수 있다   2 옮길 수 없다
    3 배고플지도 모른다   4 꺼 줄래요?
    5 빌려도 된다
    6 사실이 아닐지도 모른다

→ 1 그녀는 노래를 매우 잘할 수 있다. 그녀의 노래
     들은 아름답게 들린다.
   2 나는 이 탁자를 옮길 수 없어. 나 좀 도와줄래?
   3 그들은 점심을 먹지 않았다. 그들은 지금 배고플
     지도 모른다.

   4 추워요. 에어컨을 꺼 줄래요?
   5 너는 우산이 없다. 너는 내 것을 빌려도 된다.
   6 그 이야기들은 사실이 아닐지도 모른다.

D 1 ②   2 ①   3 ②   4 ④   5 ③

→ 1 이 펜을 사용해도 되나요?
   2 나의 개는 수영을 매우 잘할 수 있다.
   3 너는 내 우산을 빌려도 된다.
   4 천천히 말씀해 주시겠어요?
   5 오후에 비가 올지도 모른다.

Step 3   p.47

A 1 Can I visit your house?
    2 You may not talk
    3 Your cat may be under the sofa.
    4 Jamie can cook some Korean food.

B 1 They may win the game.
    2 You can[may] borrow my car.
    3 Judy may not like the gift.
    4 Can you wash the dishes?
    5 The baby birds can't[cannot] fly.

UNIT 2 조동사 must, should

Step 2   p.49

A 1 must   2 should   3 go
    4 must   5 eat   6 must not
    7 should

B 1 ⓒ 2 ⓔ 3 ⓐ 4 ⓑ 5 ⓓ

→ 1 나는 네 말을 들을 수 없어. - ⓒ 너는 큰 소리로 말해야 해.

2 그 기차는 곧 떠날 거야. - ⓔ 우리는 지금 출발해야 해.

3 토니의 방은 지저분하다. - ⓐ 그는 그의 방을 청소하는 게 좋겠다.

4 그 상자는 그녀의 것이 아니다. - ⓑ 그녀는 그것을 열면 안 된다.

5 이 칼은 매우 날카로워. - ⓓ 너는 그것을 사용하지 않는 게 좋겠어.

C 1 must not tell 2 should take
3 must be 4 Should, ask
5 should not[shouldn't] open
6 must not feed

D 1 be 2 must not 3 call
4 must 5 read 6 must not

→ 1 우리는 교실에 있어야 한다. / 조동사 뒤에는 항상 동사원형이 온다.

2 너는 물을 낭비하면 안 된다. / not은 조동사 뒤에 온다.

3 우리가 경찰을 부르는 게 좋을까?

4 에번은 지금 집에 가야 한다. / 조동사는 주어에 따라 모양이 바뀌지 않는다.

5 나의 언니[여동생, 누나]는 내 일기를 보면 안 된다.

6 너는 여기서 네 휴대전화를 사용하면 안 된다. / 조동사의 부정문은 조동사 뒤에 not을 쓴다. don't는 일반동사의 부정문에서 사용한다.

Step 3　　　　　　　　　　　**p.51**

A 1 You should brush your teeth
2 We must not pick the flowers.
3 Should she wear a helmet?
4 We must recycle plastics.
5 You should not draw on the wall.

B 1 You must not throw stones.
2 Kate should listen to his advice.
3 You must follow the rules.
4 You should not[shouldn't] touch the dog.
5 Should we bring our textbooks?

CHAPTER EXERCISE

CHAPTER 3　　　　　　　　　**p.52**

01 ② 02 ⑤ 03 can 04 May
05 shouldn't 06 cannot 07 may
08 must 09 Can, fix, he can't
10 May, see, you may 11 ② 12 ②
13 must finish 14 may not 15 eat
16 ④ 17 ① 18 should go
19 can't[cannot] eat
20 must not waste

01 '~해야 한다'라는 의미는 조동사 should 또는 must를 이용하여 나타낼 수 있다.

02 '~해도 된다'라는 허락의 의미는 조동사 can 또는 may를 이용하여 나타낼 수 있다. 이때 조동사 뒤에는 반드시 동사원형이 와야 한다.

09 Q: 톰은 그 탁자를 고칠 수 있니? A: 아니, 할 수 없어.

10 Q: 제가 당신의 앨범을 봐도 될까요? A: 네, 그래요.

11 <보기> 여기서 사진을 찍어도 되나요? ① 그는 요리를 잘할 수 있니? ② 우리는 지금 집에 가도 되나요? ③ 내 남동생[형, 오빠]은 자전거를 탈 수 있다. ④ 그는 축구를 매우 잘할 수 있다. ⑤ 그녀는 2개 국어를 할 수 있다. / <보기>의 문장에서 can은 '~해도 되나요?'라는 허락의 의미로 쓰였다. 이와 같은 의미로 쓰인 것은 ②이고, 나머지는 모두 '~할 수 있다'라는 능력, 가능의 의미를 나타낸다.

12 <보기> 오늘 비가 올지도 모른다. ① 이 카트를 사용해도 될까요? ② 그 뉴스는 사실일지도 모른다. ③ 너는 여기서 수영하면 안 된다. ④ 너는

내 휴대전화를 사용해도 좋다. ⑤ 너는 교실에서 나가도 좋다. **/** <보기>의 문장에서 may는 '~일지도 모른다'라는 추측의 의미로 쓰였다. 이와 같은 의미로 쓰인 것은 ②이고, 나머지는 모두 '~해도 된다'라는 허락의 의미를 나타낸다.

13 네이트는 그의 숙제를 끝내야 한다. **/** 조동사는 주어에 따라 모양이 바뀌지 않는다.

14 그린 씨는 내 이름을 모르실지도 모른다. **/** 조동사의 부정문은 조동사 뒤에 not을 쓴다.

15 팀은 김치를 먹을 수 있니? **/** 조동사의 의문문에서 주어 뒤에는 항상 동사원형이 온다.

16 ① 우리는 늦으면 안 된다. ② 줄리아는 매우 빨리 달릴 수 있다. ③ 나중에 전화해줄래? ④ 너는 이것을 먹으면 안 된다. ⑤ 그 남자아이는 규칙들을 배워야 한다. **/** ④ 조동사의 부정문은 조동사 뒤에 not을 쓰므로 don't must를 must not으로 고쳐야 알맞다.

17 ① 저 차는 안전하지 않을지도 모른다. ② 샘은 그의 개에게 먹이를 주어야 한다. ③ 점심을 가져와야 하나요? ④ 너는 TV를 켜도 된다. ⑤ 너는 이 박물관에서 사진을 찍으면 안 된다. **/** ① may not은 줄여 쓰지 않는다.

3 제이크와 나는 지금 교실에 있다. **/** 현재를 나타내는 시간 표현 now가 있으므로 be동사의 현재형 are가 알맞다.

4 앤디는 지금 학교에 가야 하나요? **/** 조동사의 의문문에서 주어 뒤에는 항상 동사원형이 온다.

5 너는 어제 저녁을 먹었니? **/** 과거를 나타내는 시간 표현 yesterday가 있으므로 일반동사 과거형의 의문문 「Did+주어+동사원형 ~?」의 형태가 알맞다.

B 1 '~하지 않았다'는 일반동사 과거형의 부정문 「didn't[did not]+동사원형」으로 나타낸다.

2 '~하고 있다'는 현재진행형 「am/are/is+동사의 -ing형」으로 나타낸다.

3 '~이 아닐지도 모른다'라는 추측의 의미는 조동사 may의 부정문 「may not+동사원형」으로 나타낼 수 있다.

5 '~할 것이다, ~할 예정이다'라는 미래의 의미는 「be going to+동사원형」으로 나타낼 수 있다. 주어가 복수 명사 Jenny and I이므로 be동사는 are를 쓴다.

6 '~했다'는 일반동사의 과거형으로 나타낼 수 있다. 동사 meet의 과거형 met로 쓴다.

REVIEW

CHAPTER 2-3   p.54

A 1 came   2 shouldn't buy   3 are
4 go   5 Did

B 1 didn't snow   2 is snowing
3 may not snow   4 Can, meet
5 are going to meet   6 met

A 1 나의 누나[여동생, 언니]는 집에 늦게 왔다. **/** 동사 come의 과거형은 came이다.

2 그는 그 차를 사지 않는 게 좋겠다. **/** 조동사의 부정문은 should 뒤에 not을 쓰므로 should not의 줄임말 shouldn't가 알맞다.

to부정사와 동명사

UNIT 1 to부정사

Step 2
p.57

A
1 to walk　2 to dance　3 to listen
4 to skate　5 to be　6 to buy

→ to부정사는 「to+동사원형」의 형태여야 한다.

B
1 to go　2 to study　3 to win
4 to ride

→ '~하는 것, ~하기'는 「to+동사원형」으로 나타낼 수 있다. 동사 plan, want, hope, learn 등과 함께 쓰여 동사의 목적어 역할을 한다.

C
1 to read　2 to watch　3 to play
4 to travel　5 to go

→ 1 테드는 책을 읽는 것을 아주 좋아한다.
2 라이언은 영화를 보는 것을 좋아한다.
3 테드는 피아노를 치는 것을 배운다.
4 라이언은 부산으로 여행 가는 것을 계획한다.
5 테드와 라이언은 캠핑 가기를 원한다.

D
1 to see　2 be　3 read
4 to visit　5 buy

→ 1 동사 hope는 to부정사 목적어와 함께 쓰이므로 「to+동사원형」이 알맞다.
2, 3, 5 to부정사의 to 뒤에는 항상 동사원형이 온다.
4 동사 plan은 to부정사 목적어와 함께 쓰이므로 「to+동사원형」이 알맞다.

Step 3
p.59

A
1 Did you learn to swim?
2 I want to help the kids.
3 She loves to take pictures.
4 We planned to go to the beach.
5 They hoped to find gold.

B
1 Linda likes to visit museums.
2 My uncle hopes to be a farmer.
3 He learned to bake cookies.
4 My brother wants to eat a hamburger.
5 The town planned to build a park.

→ 5 '계획했다'이므로 동사의 과거형으로 나타내는데, plan은 '모음 1개+자음 1개'로 끝나는 동사이므로 마지막 자음을 한 번 더 쓰고 -ed를 붙이는 것에 주의해서 쓴다.

UNIT 2 동명사

Step 2
p.61

A
1 raining　2 watching　3 Making
4 doing　5 going　6 swimming

→ 동명사는 현재진행형의 '동사의 -ing형'을 만드는 방법과 똑같다. 대부분 동사원형 뒤에 -ing를 붙인다.

→ 3 -e로 끝나는 동사는 e를 빼고 -ing를 붙인다.
6 '모음 1개+자음 1개'로 끝나는 동사는 마지막 자음을 한 번 더 쓰고 -ing를 붙인다.

B 1 Reading 2 playing 3 exercising
4 washing

→ 1 동명사는 '~하는 것, ~하기'라는 의미로 주어
자리에 쓰일 수 있다. 문장의 동사 is가 이미
있기 때문에 동사 Read는 올 수 없다.

2, 4 동사 practice, finish는 동명사 목적어와
함께 쓰이므로 동사의 -ing형이 알맞다.

3 동사 begin은 목적어 자리에 동명사와 to부정
사가 모두 올 수 있다. exercised는 동사의 과거
형이므로 began 뒤에 올 수 없다.

C 1 그리는 것은   2 말하는 것을
3 타는 것은   4 요리하는 것을
5 청소하는 것을

→ 동명사가 주어 자리에 쓰일 때는 '~하는 것은'으로
해석하고, 목적어 자리에 쓰일 때는 '~하는 것을,
~하기를'로 해석한다.

D 1 eating   2 swimming   3 fishing
4 staying   5 having

→ 1, 2, 5 동사 enjoy, practice, finish는 동명사
목적어와 함께 쓰이므로 동사의 -ing형으로
고쳐야 한다.

3 '~하러 가다'는 「go+동명사」로 나타내므로 fish
를 동사의 -ing형으로 고쳐야 한다.

4 '~하는 게 어때?'는 「How about+동명사 ~?」로
나타내므로 stay를 동사의 -ing형으로 고쳐야
한다.

Step 3   p.63

A 1 James goes running
2 I started learning Chinese.
3 He finished doing his homework.
4 Using chopsticks is not easy.
5 My brother enjoys watching movies.

B 1 Playing baseball is my hobby.
2 I practiced playing the guitar.
3 How about changing the plan?
4 She enjoys drinking hot chocolate.
5 The men finished painting the wall.

CHAPTER EXERCISE

| CHAPTER 4 | | | p.64 |

01 ②   02 ⑤   03 to drive   04 Baking
05 eating   06 ②   07 ③   08 ④
09 eating   10 to play   11 riding
12 ⑤   13 ④   14 to travel
15 dancing   16 to open
17 How about visiting   18 to meet
19 shopping   20 making

01 그녀는 유명한 가수가 되기를 바란다. / 동사 hope
는 to부정사 목적어와 함께 쓰이므로 빈칸에는
② to be가 알맞다.

02 내 가족은 산책하는 것을 즐긴다. / 빈칸 뒤에 동명
사 목적어가 오므로 빈칸에 들어갈 수 있는 동사는
⑤ enjoys이다. 나머지 동사는 모두 to부정사 목적
어와 함께 쓰인다.

03 동사 learn은 to부정사 목적어와 함께 쓰인다.

04 '굽는 것은'이라는 주어 역할을 할 수 있는 것은
동명사 형태 Baking이다.

05 동사 like의 목적어 자리에는 동명사와 to부정사가
모두 올 수 있다. eats는 현재형 동사이므로 like
뒤에 올 수 없다.

06 동사 want는 to부정사 목적어와 함께 쓰인다.
wants 뒤에 「to+동사원형」이 알맞게 쓰인 것은
②이다.

07 동사 finish는 동명사 목적어와 함께 쓰인다. cut은
'모음 1개+자음 1개'로 끝나는 동사이므로 마지막
자음을 한 번 더 쓰고 -ing를 붙인 ③ cutting이
알맞다.

08 · 오늘 캠핑하러 가자. · 내 남동생[오빠, 형]은 캠핑
하는 것을 즐긴다. / 동사 go와 enjoys
뒤에 공통으로 올 수 있는 것은 동명사 형태인
④ camping이다.

09 아이들은 아이스크림을 먹는 것을 아주 좋아한다.
/ 동사 love는 목적어 자리에 동명사와 to부정사
가 모두 올 수 있다.

10 그 남자아이들은 테니스를 치는 것을 시작했다. /
동사 begin은 목적어 자리에 동명사와 to부정사가
모두 올 수 있다.

11 데이브는 자전거 타는 것을 좋아한다. / 동사 like
는 목적어 자리에 동명사와 to부정사가 모두 올 수
있다.

12 ① 나는 파리를 방문하기를 바란다. ② 눈이 내리기
시작했다. ③ 그녀는 의사가 되기를 바란다.
④ 그 여자아이는 야구모자 쓰는 것을 좋아한다.
⑤ 그는 집을 청소하는 것을 끝내지 않았다. /
⑤ 동사 finish는 동명사 목적어와 함께 쓰이므로
to clean을 cleaning으로 고쳐야 알맞다.

13 ① 축구를 하는 것은 재미있다. ② 소풍을 가는 게
어때? ③ 너는 요리하는 것을 즐기니? ④ 그는
기타를 연주하는 것을 배운다. ⑤ 모니카와 나는
작년에 일하기 시작했다. / ④ 동사 learn은 to부정
사 목적어와 함께 쓰이므로 playing을 to play로
고쳐야 알맞다.

14, 16 동사 hope, plan은 to부정사 목적어와 함께
쓰이므로 빈칸에 「to+동사원형」의 형태로 쓴다.

15 동사 practice는 동명사 목적어와 함께 쓰이므로
dance에서 e를 빼고 -ing를 붙인 동명사 형태로
쓴다.

17 '~하는 게 어때?'는 「How about+동명사 ~?」로
나타낸다.

19 '~하러 가다'는 「go+동명사」로 나타내므로 shop을
동사의 -ing형으로 고쳐야 한다. 이때, shop은
'모음 1개+자음 1개'로 끝나는 동사이므로 마지막
자음을 한 번 더 쓰고 -ing를 붙인 shopping으로
써야 한다.

REVIEW

CHAPTER 3-4   p.66

A 1 to live   2 Can you   3 go
    4 not pick   5 going   6 Learning
B 1 should exercise   2 to exercise
    3 want to join   4 Can, finish
    5 should finish reading

A 1 우리는 제주에 사는 것을 바란다.

2 나를 기다려줄 수 있니? / 조동사의 의문문은
주어와 조동사의 순서만 바꾸어 「조동사+주어+
동사원형 ~?」의 형태로 쓴다.

3 테드는 지금 자러 가야 하나요? / 조동사의 의문
문에서 주어 뒤에는 항상 동사원형이 온다.

4 너는 그 꽃들을 꺾으면 안 된다. / 조동사의 부정
문은 조동사 바로 뒤에 not이 온다.

5 너는 박물관에 가는 것을 즐기니?

6 영어를 배우는 것은 재미있다. / 명사처럼 주어
역할을 할 수 있는 것은 동명사인 Learning이
다.

B 1 '~해야 한다'는 「should+동사원형」으로 나타낼
수 있다.

2 동사 start는 목적어 자리에 동명사와 to부정사
가 모두 올 수 있는데, 빈칸이 두 개이므로
to부정사 「to+동사원형」의 형태로 쓴다.

3 조동사 뒤에는 항상 동사원형이 오므로 may
뒤에는 want를 쓰고, 동사 want는 to부정사
목적어와 함께 쓰이므로 「to+동사원형」을
이어서 쓴다.

4 '~할 수 있니?'는 「Can+주어+동사원형 ~?」으로
나타낼 수 있다.

5 '~해야 한다'는 조동사 「should+동사원형」으로,
'~하는 것을 끝내다'는 「finish+동명사」로 나타낸
다.

CHAPTER 5 비교급과 최상급

UNIT 1 비교급

Step 2   p.69

A 1 bigger   2 taller   3 happier
　 4 better   5 safer   6 hotter
　 7 less   8 earlier   9 fatter
　 10 lazier   11 younger
　 12 more difficult
　 13 more   14 faster
　 15 more popular
　 16 more slowly

B 1 taller   2 better   3 more famous
　 4 heavier   5 hotter   6 longer

→ 1, 2 뒤에 비교급 표현의 than(~보다)이 있으므로
　 비교급 형태가 알맞다.
　 3 famous는 [féiməs]로 발음되는데, 모음이 [ei]
　 와 [ə] 두 개이므로 2음절 단어이지만 비교급을
　 만들 때 앞에 more를 붙이므로 주의한다.
　 4 heavy는 '자음+y'로 끝나는 단어이므로 y를 i로
　 고치고 뒤에 -er를 붙인다.
　 5 hot은 '모음 1개+자음 1개'로 끝나는 단어이므로
　 마지막 자음을 한 번 더 쓰고 뒤에 -er를 붙인다.
　 6 long은 뒤에 -er만 붙인다.

C 1 younger   2 bigger   3 longer
　 4 more expensive   5 lighter
　 6 earlier   7 better   8 more famous

D 1 older   2 easier   3 worse
　 4 faster   5 more beautiful

6 better

→ 1 이 집은 저 집보다 더 오래되었다. / 뒤에 비교급
　 표현의 than(~보다)이 있으므로 비교급 형태가
　 알맞다.
　 2 이 퍼즐은 저 퍼즐보다 더 쉽다. / easy는 '자음
　 +y'로 끝나는 단어이므로 y를 i로 고치고 뒤에
　 -er를 붙인다.
　 3 그의 성적은 내 것보다 더 나쁘다. / bad의 비교
　 급은 worse이다.
　 4 나는 내 여동생[언니, 누나]보다 더 빨리 달린다. /
　 fast의 비교급은 뒤에 -er를 붙인다.
　 5 지구는 달보다 더 아름답다. / beautiful은
　 3음절 단어이므로 앞에 more를 붙인다.
　 6 케빈은 테드보다 한국어를 더 잘한다. / speaks
　 Korean well에서 부사 well의 비교급인 better
　 고 고쳐야 한다.

Step 3   p.71

A 1 Seoul is colder than Busan.
　 2 Cars are safer than motorcycles.
　 3 A sunflower is bigger than a tulip.
　 4 Jerry drives more slowly than Ben.

→ 'A는 B보다 더 ~하다'는 「A+비교급+than+B」의
　 형태에 맞게 나열한다.

B 1 Korea is warmer than Russia.
　 2 His cat is fatter than my cat.
　 3 The sun is larger than the moon.
　 4 She skates better than John.
　 5 This book is more interesting than that
　 book.

UNIT 2 최상급

Step 2   p.73

A   1 easiest   2 hottest   3 most
    4 tallest   5 safest   6 best
    7 most delicious   8 heaviest
    9 coolest   10 wisest   11 least
    12 most dangerous   13 biggest
    14 busiest   15 laziest   16 worst

B   1 the closest   2 the youngest
    3 the   4 the best
    5 the most expensive   6 the oldest

→   1 close는 -e로 끝나는 단어이므로 e를 빼고 뒤에 -st을 붙인다.
    2 '가장 ~한'은 「the+최상급」으로 나타낸다. younger는 비교급이므로 알맞지 않다.
    3 최상급 앞에는 the를 쓴다.
    4 good의 최상급은 best이다.
    5 expensive는 [ikspénsiv]로 발음되는데, 모음이 [i], [e], [i] 3개인 3음절 단어이므로 최상급을 만들 때 앞에 most를 붙인다.

C   1 the smartest   2 the most popular
    3 the wisest   4 the best
    5 the happiest   6 (the) most quickly
    7 the fattest   8 the youngest

→   5 happy는 '자음+y'로 끝나는 단어이므로 y를 i로 고치고 뒤에 -est를 붙인다.
    6 quickly는 [kwíkli]로 발음되는데, 모음 [i]가 두 개이므로 2음절 단어이지만 최상급을 만들 때 앞에 most를 붙이므로 주의한다. 이때, 형용사의 최상급은 앞에 the를 꼭 쓰지만, 부사의 최상급 앞에는 the를 쓰지 않기도 한다.

D   1 earliest   2 the most   3 hottest
    4 richest   5 largest   6 hardest

→   1 그것은 런던으로 가는 가장 빠른 기차이다. / early는 '자음+y'로 끝나는 단어이므로 y를 i로 고치고 뒤에 -est를 붙인다.

    2 과학은 모든 과목들 중에 가장 어려운 과목이다. / 최상급 앞에는 the를 쓴다.
    3 8월은 서울에서 가장 더운 달이다. / hot은 '모음 1개+자음 1개'로 끝나는 단어이므로 마지막 자음을 한 번 더 쓰고 뒤에 -est를 붙인다.
    4 그는 세계에서 가장 부유한 사람이다. / rich는 뒤에 -est를 붙여 최상급을 만든다.
    5 한국에서 가장 큰 섬은 무엇이니? / 앞에 the가 있고 뒤에는 범위를 나타내는 in Korea가 있으므로 최상급으로 나타내는 것이 알맞다.
    6 스티브는 셋 중에서 가장 열심히 일한다. / hard의 최상급은 hardest이므로 most가 없어야 한다.

Step 3   p.75

A   1 This camera is the heaviest
    2 He is the most careful
    3 What is the highest mountain
    4 This drink is the cheapest
    5 These shoes were the prettiest

→   'A는 B(중)에서 가장 ~하다'는 「A+the+최상급(+명사)+in/of+B」의 형태에 맞게 나열한다.

B   1 It was the worst movie
    2 He is[He's] the funniest
    3 This is the saddest story
    4 She is[She's] the most famous singer
    5 Jeff is the smartest student

→   2 funny는 '자음+y'로 끝나는 단어이므로 y를 i로 고치고 뒤에 -est를 붙여 쓴다.
    3 sad는 '모음 1개+자음 1개'로 끝나는 단어이므로 마지막 자음을 한 번 더 쓰고 뒤에 -est를 붙인다.
    4 famous는 [féiməs]로 발음되는데, 모음이 [ei]와 [ə] 두 개이므로 2음절 단어이지만 최상급을 만들 때 앞에 most를 붙이므로 주의한다.

CHAPTER EXERCISE

CHAPTER 5
p.76

01 ③   02 ①   03 better
04 more slowly   05 the longest
06 ③   07 ⑤   08 ⑤
09 more   10 more   11 most
12 earlier   13 the best
14 more delicious   15 the luckiest
16 older than   17 younger than
18 the tallest   19 largest
20 the worst

01 ③ easy는 '자음+y'로 끝나는 단어이므로 y를 i로
고치고 뒤에 -er, -est를 붙인다.
easy - easier - easiest가 알맞다.

02 ① bad는 불규칙 변화하므로 bad - worse - worst
가 알맞다.

03 리사는 에이미보다 노래를 더 잘한다.

04 로이는 내 남동생[오빠, 형]보다 더 느리게 달린다.
/ slowly는 [slóuli]로 발음되는데, 모음이 [ou]와
[i] 두 개이므로 2음절 단어이지만 비교급을 만들
때 앞에 more를 붙이므로 주의한다.

05 이것은 그 도시에서 가장 긴 다리이다.

06 2월은 일 년 중에 가장 짧은 달이다.

07 피터는 로빈보다 _____ 다. ① 더 키가 큰 ② 더
무거운 ③ 더 친절한 ④ 더 어린 ⑤ 가장 바쁜 /
빈칸 뒤에 than(~보다)이 있으므로 빈칸에는 비교
급 형태가 알맞다.

08 그녀는 나의 학교에서 _____ 선생님이다.
① 가장 다정한 ② 가장 똑똑한 ③ 최고의 ④ 가장
키가 큰 ⑤ 더 인기 있는 / 빈칸 앞에 the가 있고
뒤에 범위를 나타내는 in my school이 있으므로
빈칸에는 최상급 형태가 알맞다.

09 저 자동차는 이 자동차보다 더 비싸다.

10 그는 그의 형[남동생]보다 더 잘생겼다.

11 그녀는 영국에서 가장 유명한 작가이다.

13 good의 최상급은 best로 쓰고 최상급 앞에는

the를 쓴다.

15 lucky는 '자음+y'로 끝나는 단어이므로 y를 i로 고
치고 뒤에 -est를 붙인다.

16 잭은 테드보다 나이가 더 많다.

17 테드는 엘리스보다 나이가 더 어리다.

18 엘리스는 셋 중에 가장 키가 크다.

REVIEW

CHAPTER 4-5
p.78

A 1 warmer   2 to buy   3 bigger
4 reading   5 oldest   6 drawing
B 1 learning   2 better than
3 to cook   4 cooking
5 the best

A 1 봄은 겨울보다 더 따뜻하다.
2 그들은 새집을 사는 것을 계획한다. / 동사 plan
은 to부정사 목적어와 함께 쓰인다.
3 기타는 바이올린보다 더 크다.
4 그녀는 그 책을 읽는 것을 끝냈니? / 동사 finish
는 동명사 목적어와 함께 쓰인다.
5 레이첼은 그녀의 가족 중에 가장 나이가 많은 아
이다.
6 제이크는 그림을 그리는 것을 좋아한다. / 동사
like 뒤에는 to부정사와 동명사 목적어가 모두
올 수 있다. draws는 현재형 동사이므로 likes
뒤에 올 수 없다.

B 1 동사 begin 뒤에는 to부정사와 동명사 목적어
가 모두 올 수 있다. 빈칸이 한 개이므로 동명사
형태「동사원형+-ing」로 쓴다.
2 '~보다 더 잘하다'는 비교급 표현으로 나타내므
로 부사 well의 비교급인 better를 쓰고 than
(~보다)을 그 뒤에 쓴다.
3 동사 learn은 to부정사 목적어와 함께 쓰인다.
4 동사 practice는 동명사 목적어와 함께 쓰인다.

CHAPTER 6 접속사

UNIT 1 and, but, or

Step 2   p.81

A 1 Jane (and) her mom are at the hospital.
2 The sofa is nice, (but) it's too expensive.
3 Do you want to drink coffee (or) tea?
4 Those boxes are small (but) heavy.
5 We will go camping, (or) go surfing.
6 The shirt is old, (but) it looks good.
7 She is a vet, (and) her brother is a cook.

→ 1 제인과 그녀의 엄마는 병원에 있다.
2 그 소파는 좋지만 너무 비싸다.
3 너는 커피나 차를 마시고 싶니?
4 저 상자들은 작지만 무겁다.
5 우리는 캠핑을 하러 가거나 서핑을 하러 갈 것이다.
6 그 셔츠는 오래됐지만 좋아 보인다.
7 그녀는 수의사이고 그녀의 오빠[남동생]는 요리사이다.

B 1 and   2 but   3 and
4 or   5 but

→ 접속사 and(~와/과, 그리고)는 비슷한 내용을 연결하고, 접속사 but(그러나, 하지만)은 반대되는 내용을 연결한다. 접속사 or(~이거나, 또는, 아니면)는 선택해야 하는 대상을 연결한다.

C 1 car, or, bus
2 small, but, strong
3 Wednesday, or, Thursday
4 kind, and, funny
5 fast, but, slow
6 went, and, bought

D 1 ⓒ   2 ⓐ   3 ⓓ   4 ⓑ   5 ⓔ

→ 1 나는 대니의 집에 갔고, 우리는 컴퓨터 게임을 했다.
2 보라는 일찍 일어났지만, 학교에 지각했다.
3 그는 오늘 밤이나 내일 아침에 돌아올 것이다.
4 우리는 동물원에서 호랑이와 원숭이를 봤다.
5 저 사람은 앤의 엄마 아니면 이모[고모, 숙모]이다.

Step 3   p.83

A 1 We invited Elly and her husband
2 I like apples, but he likes bananas
3 I want to be a vet or a zookeeper
4 James washed the dishes, and Sam cleaned the house

B 1 She was tired, but she finished her homework.
2 Is Eddie Australian or British?
3 The players are young and fast.
4 My desk is old but strong.

UNIT 2 because, so, when

Step 2   p.85

A 1 when   2 so   3 when

4 because   5 so   6 Because

B 1 so   2 When   3 because   4 so

➡ 1, 4 접속사 so(그래서, ~해서) 앞에는 원인이나 이유가 오고, so 뒤에는 결과가 온다.

3 접속사 because(~ 때문에, 왜냐하면)가 이끄는 문장에는 원인이나 이유가 온다.

C 1 ☑ 원인   2 ☑ 결과   3 ☑ 결과
      4 ☑ 원인   5 ☑ 원인

➡ 1 벤은 목이 말랐기 때문에 물을 마셨다.

2 그녀는 친절해서 모든 사람들이 그녀를 좋아한다.

3 나는 바쁘기 때문에 영화를 보러 갈 수 없다.

4 릴리는 일찍 일어나서 졸렸다.

5 나는 점심을 먹지 않았기 때문에 배가 무척 고팠다.

D 1 ③   2 ③   3 ②

➡ 1 네이트는 아파서 병원에 갔다. **/** 접속사 so 앞에는 원인/이유가 오고, 뒤에는 결과가 오므로 ③에 들어가는 것이 알맞다.
원인/이유: Nate was sick.
결과: He went to the doctor.

2 추웠기 때문에 나는 창문을 닫았다. **/** 접속사 because가 이끄는 문장에는 원인/이유가 오므로 ③에 들어가는 것이 알맞다.
결과: I closed the window.
원인/이유: It was cold.

3 켈리는 7살이었을 때 피아노를 배웠다. **/** 접속사 when이 이끄는 문장에는 시간이나 때가 오므로 ②에 들어가는 것이 알맞다.

E 1 ⓑ   2 ⓔ   3 ⓒ   4 ⓓ   5 ⓐ

➡ 1 그들은 그 소식을 들었을 때 매우 기뻤다.

2 그가 거짓말을 했기 때문에, 그의 엄마는 화가 났다.

3 무척 더워서 나는 축구를 하지 않았다.

4 루시가 이탈리아에 있었을 때 그녀는 이모[고모, 숙모]를 방문했다.

5 컵들이 깨질 수 있으니 주의해서 다뤄.

Step 3   p.87

A 1 because he lost the game
      2 so he is popular
      3 when you cross the street
      4 Because the movie is boring

B 1 when I was young
      2 so I went to the hospital
      3 When my parents are busy
      4 so I bought a new one
      5 Because he is too young

➡ 1, 3 '~할 때'는 접속사 when으로 연결한다.

2, 4 원인/이유를 나타내는 내용이 앞에 있으므로 '결과'를 연결하는 접속사 so를 이용하여 쓴다.

5 결과를 나타내는 내용이 뒤에 나오므로 '원인/이유'를 나타내는 문장을 이끄는 접속사 because를 이용하여 쓴다.

CHAPTER EXERCISE

CHAPTER 6   p.88

01 ④   02 ⑤   03 ④   04 ③   05 ③
06 and   07 or   08 but   09 so
10 ②   11 ④   12 ③   13 heavy
14 or   15 When   16 because
17 but   18 so   19 but   20 so

03 그들은 독일, 프랑스, 그리고 스페인으로 여행을 갔다. **/** 여러 개의 단어 Germany, France, Spain을 나열할 때, and는 마지막 단어 앞에 한 번 쓰므로 ④에 들어가는 것이 알맞다.

04 우리는 배고팠기 때문에 피자를 주문했다. **/** 접속사 because가 이끄는 문장에는 원인/이유가 오므로 ③에 들어가는 것이 알맞다.
결과: We ordered a pizza.
원인/이유: We were hungry.

05 너는 오늘 밤 또는 내일 아침에 갈 수 있다. **/**

접속사 or는 선택해야 하는 대상을 연결하므로 tonight과 tomorrow morning 사이인 ③에 들어가는 것이 알맞다.

10 ① 그녀는 똑똑하고 친절하다. ② 나는 매우 슬퍼서 울었다. ③ 너는 포크나 숟가락이 필요하니? ④ 비가 올 때, 너는 조심해서 운전해야 한다. ⑤ 그는 한국 음식을 좋아하기 때문에 한국을 방문하기를 원한다. / ② 접속사가 연결하는 내용이 원인/이유(I was very sad.)와 결과(I cried.)이므로 but을 so로 고쳐야 알맞다.

11 · 화창하지만 춥다. · 소음이 너무 시끄러웠기 때문에 나는 잘 자지 못했다. / 첫 번째 빈칸에는 반대되는 내용 sunny와 cold를 연결하는 접속사 but이 알맞다. 두 번째 빈칸에는 빈칸 뒤에 원인/이유를 나타내는 문장이 나오므로 접속사 because가 알맞다.

12 · 해리는 선생님이나 의사가 되기를 원한다. · 눈이 올 때, 우리는 종종 눈사람을 만든다. / 첫 번째 빈칸에는 두 단어 a teacher와 a doctor 중에 선택하는 내용을 연결하는 접속사 or가 알맞다. 두 번째 빈칸에는 '~할 때'라는 의미가 가장 자연스러우므로 접속사 When이 알맞다.

13 이 상자는 작지만 무겁다. / and, but, or는 같은 성격의 단어를 연결하므로 small과 같은 형용사인 heavy가 알맞다.

14 나는 기타나 드럼을 칠 것이다.

15 그녀가 열 살이었을 때, 그녀의 가족은 광주로 이사를 갔다.

16 오늘은 앤의 생일이기 때문에 나는 꽃을 좀 샀다. / 빈칸 앞에는 결과가 있고, 뒤에는 원인/이유를 말하는 내용이 있으므로 접속사 because가 알맞다.

17 나는 밖에 나가고 싶지만, 토마스는 집에 머무르기를 원한다. / 반대되는 내용의 두 문장을 연결하므로 접속사 but이 알맞다.

18 비가 와서 나는 내 우산을 가지고 갈 것이다. / 빈칸 앞에는 원인/이유가 나오고 뒤에는 결과를 말하는 내용이 있으므로 접속사 so가 알맞다.

20 앞에는 원인/이유, 뒤에는 결과가 나오므로 이를

연결하는 접속사는 so가 알맞다.

REVIEW

CHAPTER 5-6   p.90

A **1** and   **2** longer   **3** but
   4 When   **5** greatest
B **1** because, so   **2** Because, so
   3 more dangerous than
   4 the cutest   **5** but

A 1 나는 새 바지와 신발을 샀다.
   2 거북은 개미보다 더 오래 산다. / 뒤에 비교 표현의 than(~보다)이 있으므로 비교급 형태인 longer가 알맞다.
   3 이 영화는 길지만 재미있다.
   4 내가 그녀를 만났을 때, 그녀는 긴 머리를 가지고 있었다.
   5 그녀는 세계에서 가장 훌륭한 작가이다.

B 1 결과: I turned on the heater.
      원인/이유: It was cold.
      첫 번째 문장은 빈칸의 앞뒤가 '결과 - 원인/이유'의 관계이므로 because가 알맞고, 두 번째 문장은 '원인/이유 - 결과'의 관계이므로 so가 알맞다.
   3 '...보다 더 ~한'은 「비교급+than」으로 나타낸다. dangerous는 3음절 단어이므로 앞에 more를 붙여 비교급을 만든다.
   4 '가장 ~한'은 「the+최상급」으로 나타낸다. cute는 -e로 끝나는 단어이므로 뒤에 -st를 붙인다.

01 me　**02** my　**03** happily　**04** hot　**05** ③　**06** ②, ④　**07** ④, ⑤
08 are writing　**09** put　**10** ②　**11** ②　**12** may not go　**13** must[should] wear
14 must not use　**15** Can I borrow　**16** should finish　**17** riding　**18** to go
19 to be　**20** swimming　**21** ④　**22** ②　**23** ⑤　**24** ③　**25** the coldest
26 the hottest　**27** warmer than　**28** or　**29** because　**30** but

01 낸시는 어제 나를 도와줬다. / 동사 helped 뒤에는 목적어가 필요하므로 목적격 me(나를)가 알맞다.

02 조슈아는 내 남동생이다. / 명사 younger brother 앞에는 '누구의' 남동생인지 나타내는 소유격 대명사 my(나의)가 알맞다.

03 그 가수는 무대 위에서 행복하게 노래를 불렀다. / 동사 sang을 꾸며주는 부사 자리이므로 happily 가 알맞다.

04 그는 더운 날씨를 아주 좋아한다. / 명사 weather 를 꾸며주는 형용사 자리이므로 hot이 알맞다.

05 · 그녀는 그 시험 전에 커피를 마셨다. · 케이트는 오후 2시에 피아노를 연주했다. / 두 번째 문장에서 '시각'을 나타내는 말 2 p.m. 앞에는 전치사 at만 가능하다. 첫 번째 문장에서 전치사 to는 '~로, ~까지, ~에게'라는 뜻으로 의미상 빈칸에 올 수 없으므로 ③이 알맞다.

06 ① 제이콥은 어제 치즈케이크를 먹었다. ② 다음 주에는 추워질 것이다. ③ 그 영화는 유명하니? ④ 다니엘은 버스를 기다리고 있다. ⑤ 나의 아빠는 매일 양치를 하신다. / ② will 뒤에는 항상 동사원형 이 오므로 is를 be로 고쳐야 한다. ④ 동사 wait의 -ing형은 waiting이다.

07 ① 샘은 학교에서 역사를 공부한다. ② 우리는 3시에 서울에 도착할 것이다. ③ 내 여동생[언니, 누나]은 버스를 타고 있지 않다. ④ 노라는 학교에 갈 것이다. ⑤ 그는 바닥에 병을 떨어뜨렸다. / ④ be going to 뒤에는 항상 동사원형이 오므로 goes를 go로 고쳐야 한다. ⑤ 동사 drop은 '모음 1개+자음 1개'

로 끝나므로 과거형은 자음 p를 한 번 더 쓰고 -ed 를 붙여야 한다.

08 '~하고 있다'는 현재진행형 「be동사+동사의 -ing 형」으로 나타낸다. write는 -e로 끝나는 동사이므로 e를 없애고 뒤에 -ing를 붙인다.

09 동사 put은 현재형과 과거형의 형태가 같다.

10 ① 너는 여기 앉아도 돼. ② 내일은 비가 올지도 모른다. ③ 너는 물을 마셔도 돼. ④ 너는 내 지우개를 사용해도 돼. ⑤ 제가 지금 화장실에 가도 될까요? / ② may는 '~일지도 모른다'라는 추측의 의미로 쓰였다. 나머지는 모두 '~해도 된다'라는 허락의 의미이다.

11 ① 캥거루들은 높이 뛸 수 있다. ② 그 문을 닫아주실래요? ③ 클레어는 한국어를 할 수 있다. ④ 우리는 바이올린을 연주할 수 있다. ⑤ 너의 여동생[언니, 누나]은 자전거를 탈 수 있니? / ② can은 '~해 줄래요?'라는 부탁이나 요청의 의미로 쓰였다. 나머지는 모두 '~할 수 있다'라는 능력, 가능의 의미이다.

14 잭은 수업 중에 그의 휴대전화를 사용하면 안 된다. / 「must not+동사원형」으로 쓴다.

15 지우개 좀 빌릴 수 있을까요? / can의 의문문은 「Can+주어+동사원형 ~?」으로 쓴다.

16 샐리는 그녀의 숙제를 끝내야 한다. / 조동사 should는 주어에 따라 모양이 바뀌지 않는다.

17 그들은 자전거 타는 것을 즐긴다. / 동사 enjoy 뒤에는 동명사 형태인 riding이 알맞다.

18 나의 가족은 내년에 이탈리아에 갈 계획이다. / 동사 plans 뒤에는 to부정사 형태인 to go가 알맞

19 벤은 피아니스트가 되기를 원한다. / 동사 wants 뒤에는 to부정사 형태인 to be가 알맞다.

20 그 남자는 바다에서 수영하는 것을 연습했다. / 동사 practiced 뒤에는 동명사 형태인 swimming 이 알맞다.

21 ① 농구를 하는 것은 내 취미이다. ② 일찍 일어나는 것은 쉽지 않다. ③ 밖에 나가는 게 어때? ④ 나는 공원에서 뛰는 것을 좋아한다. ⑤ 그들은 빨래를 하는 것을 끝냈다. / ① 주어 자리이므로 Play를 동명사 형태인 Playing으로 고쳐야 한다. ② 동명사 주어의 동사는 반드시 3인칭 단수형이 쓰이므로 are를 is로 고쳐야 한다. ③ How about 뒤에는 동명사 형태인 going으로 써야 한다. ⑤ finish는 목적어로 동명사를 쓰므로 doing이 와야 한다.

22 우리집은 저 집보다 더 넓다. / 빈칸 뒤에 than이 있으므로 비교급이 들어가야 한다. large의 비교급은 ② larger이다.

23 세라는 반에서 가장 아름다운 여자아이다. / 셋 이상의 사람 또는 사물을 비교할 때는 「the+최상급+in/of ...」을 쓴다. beautiful은 3음절 이상

의 형용사이므로 최상급을 만들기 위해서는 앞에 most를 붙여야 한다.

24 ① 톰은 그녀보다 더 수영을 잘 한다. ② 내 남동생[오빠, 형]은 나보다 더 무겁다. ③ 에릭은 그의 가족 중에서 가장 똑똑한 아이다. ④ 치타는 거북이보다 더 빠르다. ⑤ 버스는 비행기보다 더 느리게 움직인다. / ③ the smartest는 최상급 표현이므로 빈칸에 '… (중)에서'라는 뜻의 전치사 in이 들어가야 한다. 나머지는 모두 비교급 문장이므로 빈칸에 than이 온다.

25 12월은 세 달 중에 가장 춥다.

26 8월은 세 달 중에 가장 덥다.

27 3월은 12월보다 더 따뜻하다.

28 그녀는 노란색과 초록색 중 어느 색을 좋아하니? / yellow와 green 중 하나를 선택하는 내용이므로 빈칸에 or(또는)가 들어가야 한다.

29 레이첼은 그 경기를 이겼기 때문에 행복했다. / 빈칸 뒤의 문장은 앞 문장의 일이 일어난 '이유'를 나타내고 있으므로 because(~ 때문에)가 알맞다.

30 내 할머니는 나이가 드셨지만 건강하시다. / old와 healthy가 반대되는 내용이므로 빈칸에 but(그러나, 하지만)이 들어가야 한다.

FINAL TEST 2회 **CHAPTER 1-6** p.96

01 ③, ④　**02** ②, ④　**03** ⑤　**04** ③　**05** sells　**06** wrote　**07** won't have
08 Is, taking　**09** ②　**10** ⑤　**11** ⑤　**12** ③　**13** should　**14** can　**15** may
16 ①, ⑤　**17** ①, ③　**18** ③　**19** ⑤　**20** ④　**21** better, best　**22** easier, easiest
23 more beautiful, most beautiful　**24** ②　**25** ④　**26** go　**27** When　**28** and
29 so　**30** ③

01 ① 케이트는 서울에 산다. ② 내 엄마는 소금이 필요하시다. ③ 스미스 씨는 그를 가르친다. ④ 샘은 오늘 수업이 두 개 있다. ⑤ 벤은 방과 후에 야구를 한다. / ③ 동사 teaches 뒤에는 목적어가 필요하므로 목적격 him(그를)이 와야 한다.

④ class는 셀 수 있는 명사이고, 앞에 여럿을 나타내는 two가 있으므로 복수형 classes로 써야 한다.

02 ① 이 드레스는 아름답다. ② 그 시험은 쉽지 않았다. ③ 그것은 흥미로운 이야기이다. ④ 그녀는

조용한 이웃이다. ⑤ 내 여동생[언니, 누나]은 달콤한 사탕들을 먹었다. / ② 주어 The test를 설명하는 형용사 자리이므로 easy가 와야 한다. ④ 명사 neighbor를 꾸며주는 형용사 자리이므로 quiet가 와야 한다.

03 ① 크리스마스 날에 눈이 왔다. ② 그들은 일요일마다 하이킹을 간다. ③ 제인의 생일은 3월 19일이다. ④ 티나는 금요일에 피아노 수업이 있다. ⑤ 그 콘서트는 10시 정각에 시작한다. / ⑤ '시각'을 나타내는 말 10 o'clock 앞에는 전치사 at을 쓴다. '요일, 날짜, 특정한 날' 앞에는 전치사 on을 쓴다.

04 · 톰은 매일 이를 닦는다. · 그 아이는 드럼을 칠 수 있다. / 첫 번째 빈칸에는 주어의 행동을 설명하는 일반동사가 와야 한다. Tom(→ He)이 3인칭 단수 주어이므로 3인칭 단수형 brushes가 알맞다. 두 번째 문장에서 조동사 can 뒤에는 항상 동사원형이 와야 하므로 play가 알맞다.

07 '~하지 않을 것이다'는 will의 부정문 「won't[will not]+동사원형」으로 쓴다.

08 '~하고 있니?'는 현재진행형 의문문 「be동사+동사의 -ing형 ~?」으로 쓴다.

09 ① 나는 일기를 쓸 것이다. ② 나는 시장에 가고 있다. ③ 나는 기타를 칠 것이다. ④ 나는 강에서 수영을 할 것이다. ⑤ 나는 영화를 볼 것이다. / ② '~로 가는 중이다'라는 의미의 현재진행형 「be going to+장소」가 쓰였다. 이때, to는 the market 앞에서 '(장소) ~로, ~까지'를 의미하는 전치사이다. 나머지는 모두 '~할 것이다'라는 의미의 미래를 나타내는 표현 be going to가 쓰였다.

10 레나는 _____에 그녀의 친구들을 만날 것이다. ① 오늘 오후 ② 내일 ③ 다음 주 주말 ④ 금요일 ⑤ 이틀 전 / will이 쓰였으므로 빈칸에 미래를 나타내는 표현이 와야 한다. ⑤ two days ago는 과거를 나타내는 표현이다.

11 ① 케이트는 빨리 달릴 수 없다. ② 폴은 답을 찾아야 한다. ③ 그 여자아이는 헬맷을 써야 한다. ④ 숀은 그 의자를 나를 수 있다. ⑤ 그는 직장에 늦으면 안 된다. / ① can의 부정문은 「cannot[can't]+

동사원형」으로 써야 한다. ②, ③ 조동사 뒤에는 항상 동사원형이 온다. ④ 조동사는 주어에 따라 모양을 바꾸지 않는다.

12 ① 그녀는 지금 가야 한다. ② 창문 좀 닫아주시겠어요? ③ 내 이모[고모, 숙모]는 차를 운전하실 수 있다. ④ 그들은 안에 들어가면 안 된다. ⑤ 클라라는 그녀를 만날지도 모른다. / ① 조동사는 주어에 따라 모양을 바꾸지 않는다. ② 「Can+주어+동사원형 ~?」로 써야 한다. ④ not은 조동사의 뒤에 나와야 하므로 must not go로 써야 한다. ⑤ 조동사 뒤에는 항상 동사원형이 온다.

16 ①, ⑤ '모음 1개+자음 1개'로 끝나는 동사이므로 마지막 자음을 한 번 더 쓰고 -ing를 붙인다. 나머지는 모두 -e로 끝나는 동사이므로 e를 없애고 -ing를 붙인다.

17 ①, ③ -ie로 끝나는 동사이므로 -ie를 y로 고치고 -ing를 붙인다. 나머지는 모두 동사 뒤에 -ing를 붙인다.

18 ① 영화를 보는 것은 매우 재미있다. ② 거짓말을 하는 것은 좋지 않다. ③ 나는 숙제를 하는 것을 끝냈다. ④ 산에 오르는 것은 내 취미이다. ⑤ 채소를 먹는 것은 건강에 좋다. / ③ 동명사 doing은 동사 뒤에 쓰여 '~하는 것을'이라는 의미의 목적어로 쓰였다. 나머지는 모두 문장 맨 앞에 쓰여 '~하는 것은'이라는 의미의 주어로 쓰였다.

19 그는 한국을 떠날 것을 계획한다. / 동사 plan은 to부정사만 목적어로 쓰므로 ⑤가 알맞다.

20 조슈아는 만화책을 읽는 것을 즐긴다. / 동사 enjoy는 동명사만 목적어로 쓰므로 ④가 알맞다.

21 좋은 - 더 좋은 - 가장 좋은

22 쉬운 - 더 쉬운 - 가장 쉬운

23 아름다운 - 더 아름다운 - 가장 아름다운 / 보기는 원급-비교급-최상급의 관계이다. beautiful은 3음절 이상의 단어이므로 비교급 앞에는 more, 최상급 앞에는 most를 붙인다.

24 그 수박은 오렌지보다 _____다. ① 신선한 ② 더 큰 ③ 가장 작은 ④ 비싼 ⑤ 가장 무거운 / 두 개를 비교할 때는 「비교급+than」을 쓴다. ①, ④는 원급이고, ③, ⑤는 최상급이므로 빈칸에 들어갈

수 없다.

25 그 남자아이는 모든 학생들 중에서 _____다.
① 더 작은 ② 키가 큰 ③ 빠른 ④ 가장 힘이 센
⑤ 더 유명한 **/** 셋 이상의 사람 또는 사물을 비교할
때는 「the+최상급+in/of ...」을 쓴다. ①, ⑤는 비교
급이고, ②, ③은 원급이므로 빈칸에 들어갈 수
없다.

26 너는 도서관에 갔니, 아니면 집에 갔니? **/** 접속사
or는 같은 종류의 말을 연결하므로 앞에 나온 go
와 같은 동사원형인 go가 알맞다.

27 추울 때 나는 집에 있는 것을 좋아한다. **/** '~할 때'를
의미하는 접속사 When이 알맞다.

28 그 여자아이들은 모자와 안경을 쓰고 있다. **/** 의미
상 '~와/과, 그리고'를 뜻하는 접속사 and를 쓰는
것이 적절하다.

29 브라이언은 수업에 늦어서 학교로 뛰어갔다. **/**
'그래서~'라는 뜻으로 어떤 일의 결과를 나타낼 때
는 접속사 so를 쓴다.

30 · 그는 축구를 좋아하지만 나는 좋아하지 않는다.
· 이 책은 두껍지만 흥미롭다. **/** 빈칸 뒤에 모두
앞 내용과 반대되거나 대조되는 내용이 오고 있으
므로 ③ but이 알맞다.

What's Grammar ⁺Plus 3

WORKBOOK

정답과 해설

CHAPTER 1 품사

p.2

UNIT 1

01 (son) (doctor) He
02 (Lisa) (Dan) (singers) They
03 (Sue) (parents) them
04 (Peter) (plate) it
05 (John) (cookies) them
06 (backpack) It
07 (doughnuts) They
08 (Mary) (sister) She
09 (Ted) (basketball) You
10 (father) (farmer) He
11 (Sally) (album) it
12 (boys) (classmates) They
13 (bird) (sky) it
14 (Emily) (sunglasses) them
15 (train) (Seoul) It

→ 주어, 목적어, 보어에 해당하는 명사를 찾고, 밑줄 친 명사를 대신하는 알맞은 대명사로 바꿔 쓴다.

01 그의 아들은 의사이다. / 주어 역할을 하는 주격 대명사 He(그는)로 바꿔 쓸 수 있다.

02 리사와 댄은 가수들이다. / 주어 역할을 하는 주격 대명사 They(그들은)로 바꿔 쓸 수 있다.

03 수는 그녀의 부모님을 사랑한다. / 동사 loves의 목적어 역할을 하는 목적격 대명사 them(그들을)으로 바꿔 쓸 수 있다.

04 피터는 그 접시를 떨어뜨렸다. / 동사 dropped의 목적어 역할을 하는 목적격 대명사 it(그것을)으로 바꿔 쓸 수 있다.

05 존은 쿠키들을 만든다. / 동사 makes의 목적어 역할을 하는 목적격 대명사 them(그것들을)으로 바꿔 쓸 수 있다.

06 이 배낭은 네 것이다. / 주어 역할을 하는 주격 대명사 It(그것은)으로 바꿔 쓸 수 있다.

07 그 도넛들은 맛있다. / 주어 역할을 하는 주격 대명

사 They(그것들은)로 바꿔 쓸 수 있다.

08 메리는 내 여동생[누나, 언니]이다. / 주어 역할을 하는 주격 대명사 She(그녀는)로 바꿔 쓸 수 있다.

09 너와 테드는 농구를 좋아한다. / 주어 역할을 하는 주격 대명사 You(너희들은)로 바꿔 쓸 수 있다.

10 네 아빠는 농부이시다. / 주어 역할을 하는 주격 대명사 He(그는)로 바꿔 쓸 수 있다.

11 샐리의 앨범은 어디에 있니? / 주어 역할을 하는 주격 대명사 it(그것은)으로 바꿔 쓸 수 있다.

12 그 남자아이들은 내 반 친구들이다. / 주어 역할을 하는 주격 대명사 They(그들은)로 바꿔 쓸 수 있다.

13 우리는 하늘에서 새를 봤다. / 동사 saw의 목적어 역할을 하는 목적격 대명사 it(그것을)으로 바꿔 쓸 수 있다.

14 에밀리는 종종 선글라스를 낀다. / 동사 wears의 목적어 역할을 하는 목적격 대명사 them(그것들을)으로 바꿔 쓸 수 있다.

15 그 기차는 서울에 도착했다. / 주어 역할을 하는 주격 대명사 It(그것은)으로 바꿔 쓸 수 있다.

p.3

UNIT 2

01 drinks   02 much   03 is
04 beautifully   05 interesting   06 can
07 very   08 fresh   09 too
10 play   11 early

01 그 남자아이는 매일 우유를 마신다. / 동사 자리이므로 drinks가 알맞다.

02 병 안에 많은 주스가 없다. / 명사 juice를 꾸며주는 형용사 자리이므로 much가 알맞다. very, highly는 부사이므로 빈칸에 올 수 없다.

03 내 아빠는 소방관이시다. / 동사 자리이므로 be동사 is가 알맞다.

04 베키는 무대 위에서 아름답게 노래를 부른다. / 동사 sings를 꾸며주는 부사 자리이므로

beautifully가 알맞다.

05 그 책들은 재미있다. **/** 주어 The books를 보충
설명해주는 보어 자리이므로 형용사 interesting
이 알맞다.

06 그녀는 중국어를 할 수 있다. **/** 동사 speak 앞에 올
수 있는 것은 조동사 can이다.

07 그 비행기는 매우 높이 난다. **/** 다른 부사 high
(높이)를 꾸며주는 부사 very가 알맞다.

08 그것들은 신선한 과일들이다. **/** 명사 fruits를
꾸며주는 형용사 자리이므로 fresh가 알맞다.
hardly(거의 ~않다)는 부사이다.

09 리사는 너무 느리게 책을 읽는다. **/** 다른 부사
slowly를 꾸며주는 부사 자리이므로 too(너무 ~
한)가 알맞다.

10 그들은 테니스를 치지 않았다. **/** 목적어 tennis가
있으므로 일반동사 play가 알맞다.

11 그는 아침에 일찍 일어난다. **/** 동사 wakes up을
꾸며주는 부사 자리이므로 early가 알맞다.

UNIT 3   p.4

01 in front of my house
02 on May 26th
03 in the morning   04 at 7 o'clock
05 on Saturdays   06 about the game
07 for an hour   08 to the hospital
09 on Christmas Day
10 behind the vase

→ 장소의 전치사: in(~ 안에, ~에), on(~ 위에), under
(~ 아래에), at(~에), in front of(~ 앞에), behind
(~ 뒤에), next to(~ 옆에), between A and B
(A와 B 사이에)

→ 시간의 전치사: at+시각, on+요일/날짜/특정한 날,
in+월/계절/연도/아침, 오후, 저녁, before(~ 전에),
after(~ 후에), for(~ 동안)

→ 기타 전치사: with(~와 함께), to(~로, ~까지, ~에게),
about(~에 관하여), for(~을 위해)

GRAMMAR IN SENTENCES   p.5

01 It was a good movie.
02 He often visits his grandfather.
03 John is never late for school.
04 Mary is next to her sister.
05 The building is between the bank
and the hospital.
06 The students speak quietly.
07 My computer is really expensive.
08 The tree has many leaves.
09 The cute dog is hers.
10 This new chair is for you.

CHAPTER **2** 시제

p.6

UNIT 1

01 are	**02** doesn't like	**03** goes
04 studies	**05** has	**06** are
07 mixes	**08** Is	**09** brushes
10 live	**11** drinks	**12** walks
13 skates	**14** reads	**15** does

01 그들은 지금 시장에 있다.

02 내 아빠는 고양이를 좋아하지 않는다. **/** 주어가 단수 명사 My dad(→ He)이므로 일반동사 현재형의 부정문은 「doesn't+동사원형」으로 나타낸다.

03 메리는 일요일마다 카페에 간다. **/** 주어가 3인칭 단수 Mary(→ She)이고, go가 -o로 끝나는 동사이므로 뒤에 -es를 붙인다.

04 댄은 과학을 매우 열심히 공부한다. **/** 주어가 3인칭 단수 Dan(→ He)이고, study가 '자음+y'로 끝나는 동사이므로 y를 i로 고치고 -es를 붙인다.

05 그는 8시에 아침을 먹는다.

06 제인과 나는 배고프다. **/** 주어가 복수 명사 Jane and I(→ We)이므로 are로 쓴다.

07 에밀리는 우유와 버터를 섞는다. **/** 주어가 3인칭 단수 Emily(→ She)이고, mix가 -x로 끝나는 동사이므로 뒤에 -es를 붙인다.

08 그 램프는 의자 옆에 있니? **/** 의문문의 주어가 단수 명사 the lamp(→ it)이므로 Is가 알맞다.

09 스미스 씨는 그의 신발을 닦는다. **/** 주어가 3인칭 단수 Mr. Smith(→ He)이고, brush가 -sh로 끝나는 동사이므로 뒤에 -es를 붙인다.

10 그녀의 딸들은 부산에 산다. **/** 주어가 복수 명사 Her daughters(→ They)이므로 동사원형 live로 쓴다.

11 내 여동생[누나, 언니]은 매일 우유를 마신다. **/** 주어가 단수 명사 My sister(→ She)이므로 동사 drink 뒤에 -s를 붙인다.

12 내 사촌은 개를 산책시킨다. **/** 주어가 단수 명사 My cousin(→ He 또는 She)이므로 동사 walk 뒤에 -s를 붙인다.

13 유나는 겨울마다 스케이트를 탄다. **/** 주어가 3인칭 단수 Yuna(→ She)이므로 동사 skate 뒤에 -s를 붙인다.

14 내 엄마는 신문을 읽으신다. **/** 주어가 단수 명사 My mom(→ She)이므로 동사 read 뒤에 -s를 붙인다.

15 매트는 점심 전에 숙제를 한다. **/** 주어가 3인칭 단수 Matt(→ He)이고, do가 -o로 끝나는 동사이므로 뒤에 -es를 붙인다.

p.7

UNIT 2

01 was	**02** read
03 wasn't[was not]	**04** planned
05 came	**06** put	**07** rode
08 made	**09** were	**10** Did
11 started		

01 주어가 단수 명사 Wendy(→ She)이므로 was로 써야 한다.

02 동사 read의 과거형은 현재형과 모양이 같다.

03 과거를 나타내는 시간 표현 yesterday가 있으므로 be동사의 과거형 wasn't 또는 was not으로 쓴다.

04 동사 plan은 '모음 1개+자음 1개'로 끝나는 동사이므로 과거형은 자음 n을 한 번 더 쓰고 뒤에 -ed를 붙인다.

05 과거를 나타내는 시간 표현 last night가 있으므로 동사의 과거형으로 나타내야 한다. 동사 come의 과거형은 came으로 쓴다.

06 동사 put의 과거형은 현재형과 모양이 같다.

07 동사 ride의 과거형은 rode이다.

08 동사 make의 과거형은 made이다.

09 과거를 나타내는 시간 표현 5 years ago가 있으므로 be동사의 과거형으로 나타내야 한다.

10 과거를 나타내는 시간 표현 in 2018이 있으므로
Did가 알맞다.

UNIT 3   p.8

01 am going to eat	02 won't go
03 is making	04 Are, writing
05 will arrive	06 are going to swim
07 are sitting	08 is going to cut
09 will be	
10 aren't going to meet	

→ '~하고 있다'라는 의미는 현재진행형 「be동사의 현
재형+동사의 -ing형」으로 나타낸다.

→ '~할 것이다, ~할 예정이다'라는 의미는 미래시제
「will+동사원형」 또는 「be going to+동사원형」
으로 나타낸다.

02 '~하지 않을 것이다'라는 의미는 will의 부정문
「won't[will not]+동사원형」으로 쓴다.

04 '~하고 있니?'라는 의미는 현재진행형의 의문문
「be동사+주어+동사의 -ing형 ~?」으로 나타낸다.

GRAMMAR IN SENTENCES   p.9

01 Amy fixes the watch.
02 He goes jogging every morning.
03 She is[She's] going to drink cold water.
04 Horses are running
05 I didn't[did not] go to bed early last night.
06 My mom bought a necklace yesterday.
07 The river was very beautiful.
08 Nancy has a violin lesson on Mondays.
09 Bill met her last year.
10 Will Cathy be in the sixth grade next year?

CHAPTER 3   조동사

UNIT 1   p.10

01 can, pass	02 may, be	03 may not
04 Can you move		05 may, stay
06 can	07 cannot sing	
8 may not, be		09 may, rain
10 May I	11 cannot	12 may, go
13 can, wear	14 may not	15 bring

→ 조동사는 주어에 따라 모양이 바뀌지 않으며,
조동사 뒤에는 항상 동사원형이 온다.

03, 14 조동사의 부정문에서 not은 조동사 뒤에 온다.

04, 15 '~해 줄래요?'라는 의미는 「Can+주어+동사원형
~?」으로 쓴다.

06 '~할 수 있다'라는 의미는 「can+동사원형」으로
나타낸다.

07, 11 can의 부정은 「cannot[can't]+동사원형」으로
쓴다.

08 may not은 줄여 쓸 수 없다.

UNIT 2

01 must not be
02 must stop
03 must not fail
04 must wait
05 should not[shouldn't] open
06 should follow
07 should not[shouldn't] waste
08 should not[shouldn't] park
09 should take

→ '~해야 한다'라는 의미는 「must[should]+동사원형」으로 나타내고, '~하면 안 된다'라는 의미는 「must[should] not+동사원형」으로 나타낸다.

GRAMMAR IN SENTENCES

01 Victoria can't play the violin.
02 They may spend summer
03 You may[can] eat ice cream
04 We should[must] wash our hands
05 Ted should[must] buy the books
06 My uncle can make pasta.
07 You must not tell lies.
08 Sue may not come
09 She must[should] finish her homework.
10 Can you turn off the light?

CHAPTER 4 to부정사와 동명사

UNIT 1

01 to drive	02 to go	03 to be
04 to see	05 to meet	06 to sell
07 to build	08 to draw	09 to play
10 to bring	11 to wear	

→ to부정사와 함께 쓰이는 동사: want(원하다), like(좋아하다), love(아주 좋아하다), learn(배우다), plan(계획하다), hope(희망하다, 바라다) 등
→ 「to+동사원형」이 목적어 자리에 쓰이면 '~하는 것을, ~하기를'이라는 의미로 쓰인다.

UNIT 2

01 Playing	02 doing	03 Driving
04 swimming	05 hiking	06 watching
07 going	08 Eating	09 Cooking
10 skating	11 running	

→ 동명사와 함께 쓰이는 동사: enjoy(즐기다), finish(마치다), practice(연습하다) 등
→ 「동사원형+-ing」가 주어 자리에 쓰이면 '~하는 것은', 목적어 자리에 쓰이면 '~하는 것을, 하기를'이라는 의미로 쓰인다.

01, 03, 08, 09 주어 자리에는 동사원형이 올 수 없으므로 동명사 형태로 써야 한다.

02, 06, 10 동사 finish, enjoy, practice는 동명사를 목적어로 가진다.

04, 11 목적어 자리에는 동사원형이 올 수 없으므로 동명사 형태로 써야 한다.

05 '~하러 가다'라는 의미는 「go+동명사」형태로 써야 한다.

07 '~하는 게 어때?'라는 의미는 「How about+동명사 ~?」형태로 써야 한다.

01 Sleeping well is important.

02 How about taking a rest?

03 We go fishing

04 Jane enjoys planting flowers.

05 Winning the game is his goal.

06 She practiced playing chess.

07 Learning Chinese isn't[is not] easy.

08 Kate hopes to go to Italy

09 Brian wants to take the subway.

10 Jessie planned to make dinner.

CHAPTER 5 비교급과 최상급

01 faster than	02 younger than
03 busier than	04 bigger than
05 hotter than	06 nicer than
07 better than	08 less than
09 more famous than	10 heavier than
11 more expensive than	

→ 형용사/부사의 비교급은 보통 형용사/부사 뒤에 -er를 붙여서 만든다.

03, 10 '자음+y'로 끝나는 형용사의 비교급은 y를 i로 고치고 -er를 붙인다.

04, 05 '모음 1개+자음 1개'로 끝나는 형용사의 비교급은 맨 뒤 자음을 한 번 더 쓰고 -er를 붙인다.

06 -e로 끝나는 형용사의 비교급은 뒤에 -r만 붙인다.

07 good/well의 비교급은 better이다.

08 little의 비교급은 less이다.

09, 11 3음절 이상의 형용사의 비교급은 앞에 more를 붙인다.

01 the most popular	02 the shortest
03 the largest	04 the worst
05 the most difficult	
06 the most delicious	
07 the fattest	08 the coldest
09 the laziest	10 the loudest

→ 형용사/부사의 최상급은 보통 형용사/부사 뒤에 -est를 붙여서 만든다.

01, 05, 06 3음절 이상의 형용사의 최상급은 앞에 most를 붙인다.

03 -e로 끝나는 형용사의 최상급은 뒤에 -st만 붙인다.

04 bad의 최상급은 worst이다.

07 '모음 1개+자음 1개'로 끝나는 형용사의 최상급은 맨 뒤 자음을 한 번 더 쓰고 -est를 붙인다.

09 '자음+y'로 끝나는 형용사의 최상급은 y를 i로 고치고 -est를 붙인다.

01 Alan is busier than me.

02 This is the smallest dress

03 Cats are cuter than dogs.

04 Jane is stronger than Taylor.

05 This hotel is the most expensive

06 He is[He's] the richest man

07 This file is the most important

08 His hair is longer than Emily's.

09 She dances (the) most beautifully

10 What is[What's] the thinnest cellphone

CHAPTER 6   접속사

UNIT 1   p.19

01 and	02 and	03 but
04 or	05 but	06 or
07 and	08 or	09 and
10 but	11 but	

→ 접속사 and(~와/과, 그리고): 비슷한 내용 연결할 때, 접속사 but(그러나, 하지만): 반대되는 내용을 연결할 때, 접속사 or(또는, 아니면): 둘 중 하나를 선택해야 할 때

UNIT 2   p.20

01 because	02 when	03 so
04 When	05 when	06 because
07 so	08 Because	09 when
10 so	11 When	

→ 접속사 because(~ 때문에): 이유를 나타낼 때, 접속사 so(그래서 ~): 결과를 나타낼 때, 접속사 when(~ 할 때): 때를 나타낼 때

01 I played soccer and basketball

02 Is she a teacher or a student?

03 but he doesn't[does not] like it

04 and I'll[I will] drink milk

05 because it was so hot

06 so his mom got angry

07 when she exercises

08 Because he is sick

09 When you called me

10 We read books or listen to music

MEMO

MEMO

부가자료 다운로드

www.cedubook.com

LISTENING Q

중학영어듣기 모의고사 시리즈

① 최신 기출을 분석한 유형별 공략

· 최근 출제되는 모든 유형별 문제 풀이 방법 제시
· 오답 함정과 정답 근거를 통해 문제 분석
· 꼭 알아두야 할 주요 어휘와 표현 정리

② 실전모의고사로 문제 풀이 감각 익히기

실전 모의고사 20회로 듣기 기본기를 다지고,
고난도 모의고사 4회로 최종 실력 점검까지!

③ 매 회 제공되는 받아쓰기 훈련[딕테이션]

· 문제풀이에 중요한 단서가 되는
  핵심 어휘와 표현을 받아 적으면서 듣기 훈련!
· 듣기 발음 중 헷갈리는 발음에 대한 '리스닝 팁' 제공
· 교육부에서 지정한 '의사소통 기능 표현' 정리

실전 모의고사 01

01 다음을 듣고, 'this'가 가리키는 것으로 가장 적절한 것을 고르시오.
① ② ③ ④ ⑤

06 대화를 듣고, 남자가 도 ⋯ 고르시오.
① 3:30 p.m. ② 4:00 p.m. ④ 4:30 p.m.
⑤ 5:00 p.m. ⑤ 5:30 p.m.

CEDU MP3 PLAYER

Listening Q 중학영어듣기
모의고사 유형편

1.0배속 1.2배속 1.4배속

실전 모의고사 1회 전체 듣기

실전 모의고사 1회 1번
실전 모의고사 1회 2번
실전 모의고사 1회 3번
실전 모의고사 1회 4번

www.cedubook.com

① 1배속 1.2배속 1.4배속
   배속 선택 옵션

② 전체 문항 듣기

③ 문항 하나씩 듣기

**무료 제공 MP3와 QR코드로
효율적인 듣기 학습!**

쎄듀

쎄듀 초·중등 커리큘럼

초등

	예비초	초1	초2	초3	초4	초5	초6
구문		천일문 365 일력 | 초1-3 | 교육부 지정 초등 필수 영어 문장		초등코치 천일문 SENTENCE 1001개 통문장 암기로 완성하는 초등 영어의 기초			
문법				초등코치 천일문 GRAMMAR 1001개 예문으로 배우는 초등 영문법			
			왓츠 Grammar		Start (초등 기초 영문법) / Plus (초등 영문법 마무리)		
독해				왓츠 리딩 70 / 80 / 90 / 100 A / B 쉽고 재미있게 완성되는 영어 독해력			
어휘				초등코치 천일문 VOCA&STORY 1001개의 초등 필수 어휘와 짧은 스토리			
		패턴으로 말하는 초등 필수 영단어 1 / 2		문장 패턴으로 완성하는 초등 필수 영단어			
ELT		Oh! My PHONICS 1 / 2 / 3 / 4 유·초등학생을 위한 첫 영어 파닉스					
		Oh! My SPEAKING 1 / 2 / 3 / 4 / 5 / 6 핵심 문장 패턴으로 더욱 쉬운 영어 말하기					
		Oh! My GRAMMAR 1 / 2 / 3 쓰기로 완성하는 첫 초등 영문법					

중등

	예비중	중1	중2	중3
구문		천일문 STARTER 1 / 2		중등 필수 구문 & 문법 총정리
문법		천일문 GRAMMAR LEVEL 1 / 2 / 3		예문 중심 문법 기본서
		GRAMMAR Q Starter 1, 2 / Intermediate 1, 2 / Advanced 1, 2		학기별 문법 기본서
		잘 풀리는 영문법 1 / 2 / 3		문제 중심 문법 적용서
		GRAMMAR PIC 1 / 2 / 3 / 4		이해가 쉬운 도식화된 문법서
			1센치 영문법	1권으로 핵심 문법 정리
문법+어법		첫단추 BASIC 문법·어법편 1 / 2		문법·어법의 기초
문법+쓰기		EGU 영단어&품사 / 문장 형식 / 동사 써먹기 / 문법 써먹기 / 구문 써먹기		서술형 기초 세우기와 문법 다지기
				올쏨 1 기본 문장 PATTERN 내신 서술형 기본 문장 학습
쓰기		거침없이 Writing LEVEL 1 / 2 / 3		중등 교과서 내신 기출 서술형
		중학 영어 쓰작 1 / 2 / 3		중등 교과서 패턴 드릴 서술형
어휘	천일문 VOCA 중등 스타트/필수/마스터			2800개 중등 3개년 필수 어휘
		어휘끝 중학 필수편	중학 필수어휘 1000개	어휘끝 중학 마스터편 고난도 중학어휘 +고등기초 어휘 1000개
독해		ReadingGraphy LEVEL 1 / 2 / 3 / 4		중등 필수 구문까지 잡는 흥미로운 소재 독해
		Reading Relay Starter 1, 2 / Challenger 1, 2 / Master 1, 2		타교과 연계 배경 지식 독해
		READING Q Starter 1, 2 / Intermediate 1, 2 / Advanced 1, 2		예측/추론/요약 사고력 독해
독해전략			리딩 플랫폼 1 / 2 / 3	논픽션 지문 독해
독해유형			Reading 16 LEVEL 1 / 2 / 3	수능 유형 맛보기 + 내신 대비
			첫단추 BASIC 독해편 1 / 2	수능 유형 독해 입문
듣기	Listening Q 유형편 / 1 / 2 / 3			유형별 듣기 전략 및 실전 대비
		쎄듀 빠르게 중학영어듣기 모의고사 1 / 2 / 3		교육청 듣기평가 대비